AULA PLUS 1

Jaime Corpas

Eva García

Agustín Garmendia

Coordinación pedagógica

Neus Sans

Conoce Aula Plus

AULA nació con la ilusión de ofrecer una herramienta moderna, eficaz y comprensible, con la que llevar a las aulas de español en España los enfoques comunicativos más avanzados. La respuesta fue muy favorable: cientos de centros de enseñanza de lenguas y miles de docentes han confiado en este manual y muchos cientos de miles de estudiantes lo han usado durante estos años en todo el país.

AULA PLUS es una cuidadosa actualización de esa propuesta y mantiene intactos los mismos objetivos: poner a los alumnos y las alumnas en el centro del proceso de aprendizaje, primar el uso significativo de la lengua, ofrecer una visión moderna y no estereotipada de España y de los países de habla hispana, facilitar la labor docente, etc. Pero, además, esta edición recoge las aportaciones de más de mil usuarios del manual, actualiza temas, enfoques y textos, renueva su lenguaje gráfico, ofrece mayor flexibilidad e incorpora las nuevas tecnologías de la información.

El manual que tienes en tus manos está hecho para ti y por ti. Gracias por confiar en **AULA PLUS**.

ASÍ SON LAS UNIDADES DE AULA PLUS

EMPEZAR

En esta primera doble página de la unidad, se explica qué tarea vamos a realizar al final de la unidad y qué recursos comunicativos, gramaticales y léxicos vamos a incorporar. Entramos así en la temática de la unidad mediante una actividad que nos ayuda a activar nuestros conocimientos previos y nos permite tomar contacto con el léxico que vamos a necesitar.

COMPRENDER

En esta doble página encontramos textos y documentos muy variados (páginas web, correos electrónicos, artículos periodísticos, folletos, test, anuncios, etc.) con los que vamos a trabajar. Estos textos contextualizan los contenidos lingüísticos y comunicativos básicos de la unidad. Con ellos, vamos a desarrollar fundamentalmente actividades de comprensión.

EXPLORAR Y REFLEXIONAR

En estas cuatro páginas realizamos un trabajo activo de observación de la lengua –a partir de textos o de pequeños corpus– y practicamos de forma guiada lo aprendido. De este modo, descubrimos el funcionamiento de la lengua en sus diferentes aspectos (morfológico, léxico, sintáctico, funcional, textual, etc.) y reforzamos nuestro conocimiento explícito de la gramática.

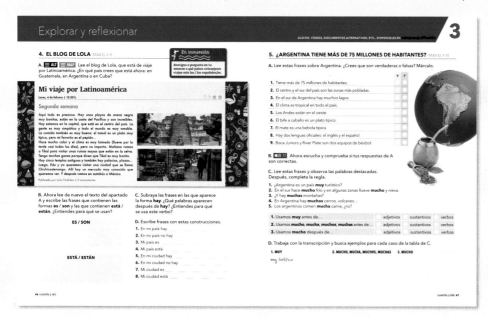

Conoce Aula Plus

LÉXICO

Aquí encontramos el léxico básico de la unidad organizado de manera muy visual y descubrimos colocaciones léxicas que nos ayudan a aprender cómo se combinan las palabras en español.

GRAMÁTICA Y COMUNICACIÓN

En esta página disponemos de esquemas gramaticales y funcionales que nos permitirán entender cómo funciona la lengua española y cómo se usa en la comunicación.

PRACTICAR Y COMUNICAR

Las tres páginas de esta sección están dedicadas a la práctica lingüística y comunicativa, e incluyen propuestas de trabajo muy variadas. Aquí experimentamos el funcionamiento de la lengua a través de microtareas comunicativas en las que activamos los contenidos de la unidad. Muchas de las actividades están basadas en nuestro propio bagaje como personas, como aprendientes y como grupo; así, usamos nuestras experiencias y nuestra percepción del entorno para llevar a cabo interacciones comunicativas reales y llenas de significado.

Al final de esta sección, el manual propone una o varias tareas que implican diversas destrezas y que se concretan en un producto final —escrito u oral— que nos permite conocer nuestro progreso y comprobar qué somos capaces de hacer en español.

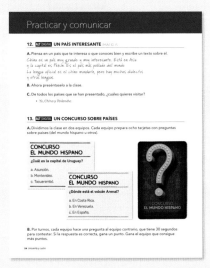

VÍDEO

Todas las unidades se cierran con un vídeo de diferente tipo: reportajes, entrevistas, cortos de ficción, etc. Estos documentos audiovisuales, disponibles en **campusdifusión**, nos acercan a la realidad sociocultural de España y de otros países de habla hispana.

LAS UNIDADES SE COMPLETAN, AL FINAL DEL LIBRO, CON LAS SIGUIENTES SECCIONES

MÁS EJERCICIOS

Aquí encontramos siete páginas por unidad con actividades de práctica formal que ayudan a fijar los aspectos lingüísticos estudiados. Si bien los ejercicios están diseñados para el trabajo autónomo, también se pueden usar en clase.

MÁS GRAMÁTICA

Como complemento a las páginas de Gramática y comunicación de las unidades, en esta sección encontramos explicaciones más extensas y modelos de conjugación para todos los tiempos verbales estudiados en este nivel.

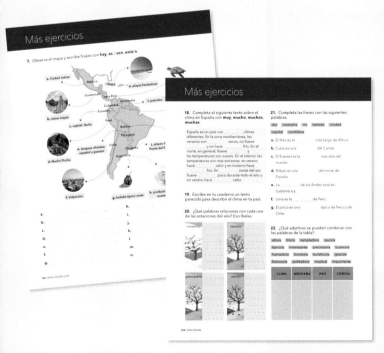

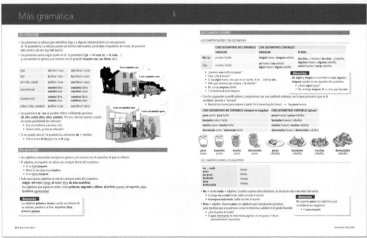

Conoce Aula Plus
PARA ENTENDER EL MANUAL

Este icono indica en qué actividades se debe escuchar un audio, disponible en **campusdifusión**.

Este icono indica que, en **campusdifusión**, hay un texto oral diferente, en una variedad del español distinta a la que se ofrece en el libro (indicada con las iniciales del país).

En algunos casos, podemos encontrar, a lo largo de la unidad, documentos audiovisuales que ilustran fenómenos léxicos, gramaticales, culturales, etc.

/MÁS EJ. 9, 10

Esta referencia indica qué ejercicios de la sección **Más ejercicios** están relacionados con una actividad o la complementan.

➕ P. 153

Esta referencia indica a qué apartado de la sección **Más gramática** podemos ir para saber más sobre este tema gramatical.

Construimos el

Este apartado nos permite trabajar con el vocabulario más importante y útil (para nuestras necesidades) de una manera personal y significativa.

CÁPSULA DE FONÉTICA

En todas las unidades encontramos una cápsula de fonética, disponible en **campusdifusión**. Se trata de una animación en vídeo, con explicaciones muy visuales, que nos ayuda a trabajar y mejorar nuestra entonación y pronunciación en español.

➕ Para comunicar

En estos cuadros encontramos recursos lingüísticos que nos ayudan a expresarnos y a producir textos más ricos.

/ Para comparar

Estos cuadros nos ofrecen notas sobre cuestiones diversas (lingüísticas, socioculturales, etc.) y nos proponen un trabajo de observación y de comparación con nuestra propia lengua o cultura.

En inmersión

Estas actividades están pensadas para sacar el máximo partido de nuestra estancia en España y aprender también fuera del aula. Cuentan con fichas de apoyo en **campusdifusión** y, gracias a ellas, entramos en contacto con la realidad española y desarrollamos, en el contexto perfecto, nuestros conocimientos socioculturales y lingüísticos.

☰ MAP

Los textos marcados con este icono cuentan con una versión mapeada en **campusdifusión**. Estos documentos nos permiten observar el uso de las colocaciones léxicas y de las preposiciones en español, y facilitan su aprendizaje.

☰ ALT

Además de los textos que proporciona el libro, las actividades marcadas con este icono cuentan con un texto alternativo en **campusdifusión**. Así, podemos trabajar los contenidos de la unidad con textos y temas diferentes.

ALT | DIGITAL

Este icono identifica las actividades que podemos realizar usando herramientas digitales (*apps*, webs, etc.). En **campusdifusión** disponemos de una ficha de trabajo con las pautas que se deben seguir.

Aula Plus
y Campus Difusión

Todos los recursos digitales de **AULA PLUS**, para vivir una experiencia aún más interactiva, se encuentran disponibles en:

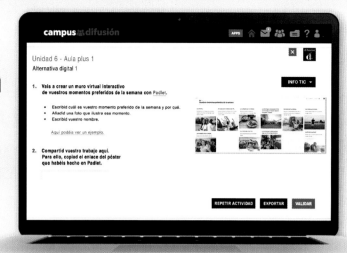

campus**difusión**

- ✓ Audios y vídeos
- ✓ Cápsulas de fonética
- ✓ Textos mapeados
- ✓ Alternativas digitales
- ✓ Textos y audios alternativos
- ✓ Libro digital interactivo en dos formatos (flipbook y HTML)
- ✓ Transcripciones de los audios
- ✓ Fichas proyectables
- ✓ Fichas de trabajo complementario
- ✓ Fichas de trabajo en inmersión
- ✓ Edición anotada para docentes
- ✓ Exámenes y evaluaciones
- ✓ Itinerarios para programar los cursos
- ✓ Glosarios

campus.difusion.com

Recursos para estudiantes y docentes
campusdifusión

EN EL AULA

1. ME LLAMO ANDERSON. ¿Y TÚ?

A. Preséntate a tus compañeros/as.

- *Hola, me llamo Anderson. ¿Y tú? ¿Cómo te llamas?*
- *Me llamo Giovanna.*

B. Ahora escribe tu nombre en un papel y ponlo encima de la mesa.

2. SONIDOS

A. 🔊 01 ¿En qué conversaciones hablan español? ¿En cuáles no? Escucha y márcalo.

	1	2	3	4	5	6	7	8	9
HABLA ESPAÑOL	✓	✓		✓			✓		
OTRAS LENGUAS		✓	✓		✓	✓		✓	✓

B. 🔊 01 Vuelve a escuchar los diálogos en español. ¿Entiendes algo?

3. HOLA, ¿QUÉ TAL?

🔊 02 Vas a escuchar estos saludos y despedidas. Escribe al lado el número según el orden en que los escuchas.

SALUDOS

¿Cómo estás? 7

Buenas tardes 2

Buenos días 5

Buenas noches 9

Hola 6

¿Qué tal? 3

DESPEDIDAS

¡Hasta pronto! 10

Chau 1

¡Hasta luego! 8

¡Adiós! 4

1	uno
2	dos
3	tres
4	cuatro
5	cinco
6	seis
7	siete
8	ocho
9	nueve
10	diez

4. ¿CÓMO SE ESCRIBE?

A. 🔊 03 🔊 **ALT|MX** Escucha las letras del alfabeto y repite.

A	a	**A**lberto	**Ñ**	eñe	Espa**ñ**a
B	be	**B**uenos Aires	**O**	o	**Ó**scar
C	ce	**C**uba	**P**	pe	**P**érez
D	de	**D**iego	**Q**	cu	**Q**uito
E	e	**E**lena	**R**	erre	**R**amón
F	efe	**F**ederico	**S**	ese	**S**ara
G	ge	**G**arcía	**T**	te	**T**eresa
H	hache	**H**onduras	**U**	u	**U**ruguay
I	i	**I**gnacio	**V**	uve	**V**enezuela
J	jota	**J**avier	**W**	uve doble	**W**alter
K	ca	**K**enia	**X**	equis	Óle**x**
L	ele	**L**uis	**Y**	ye	**Y**alta
M	eme	**M**aría	**Z**	zeta	**Z**aragoza
N	ene	**N**atalia			

B. ¿Qué palabras de la tabla anterior son países o ciudades? B, C, H, K, Ñ, U, V, Z

C. Tu profesor/a va a decir una letra. Si tu nombre empieza por esa letra, dilo y deletréalo.

- Ese.
- ¡Yo! Susan: ese, u, ese, a, ene.

Aleisha: a, ele, e, i, ese, hache, a

5. LAS COSAS DE LA CLASE

A. ¿Sabéis cómo se llaman estas cosas? En parejas, relacionad las imágenes con los nombres.

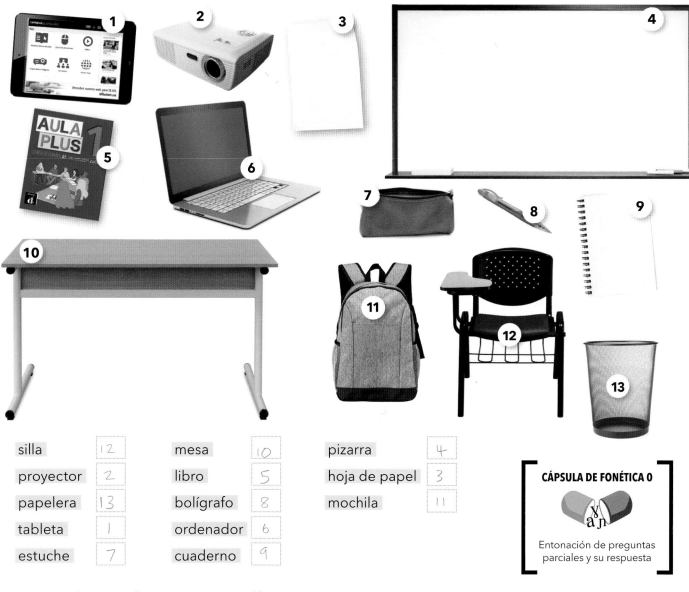

silla	12	mesa	10	pizarra	4
proyector	2	libro	5	hoja de papel	3
papelera	13	bolígrafo	8	mochila	11
tableta	1	ordenador	6		
estuche	7	cuaderno	9		

- ¿Cómo se dice esto en español?
- Pizarra.

- ¿Qué significa "ordenador"?
- Computer.

- ¿Cómo se pronuncia "pizarra"?

B. ¿Hay otras cosas en la clase? ¿Llevas a clase otros objetos? Busca cómo se dicen en español y compártelo en clase.

CÁPSULA DE FONÉTICA 0

Entonación de preguntas parciales y su respuesta

➕ Para comunicar

→ ¿Cómo se dice esto en español?
→ ¿Qué significa "ordenador"?
→ ¿Cómo se pronuncia "pizarra"?

6. ¿QUÉ SIGNIFICA "VALE"?

¿Entiendes estas frases?

1 / NOSOTROS Y NOSOTRAS

EN ESTA UNIDAD VAMOS A

CONOCER MEJOR A LAS OTRAS PERSONAS DE LA CLASE

RECURSOS COMUNICATIVOS

- dar y pedir datos personales
- saludar y despedirse

RECURSOS GRAMATICALES

- el género en nacionalidades y profesiones
- los verbos **ser**, **tener** y **llamarse**
- los pronombres personales de sujeto

RECURSOS LÉXICOS

- los números
- nacionalidades
- profesiones
- lugares de trabajo

Empezar

1. PALABRAS EN ESPAÑOL /MÁS EJ. 1

A. Mira las fotografías. ¿Qué palabras entiendes? Escríbelas en tu cuaderno.

B. Comparte con otra persona de la clase las palabras que has anotado en el apartado A.

- *"Calle" significa* street.

En inmersión

Sal a la calle y busca más palabras escritas en español. Haz fotos y después, busca el significado de las palabras que no entiendas. Comparte tus palabras en clase.

2. LOS NOMBRES EN ESPAÑOL /MÁS EJ. 2

A. Lee este cómic. ¿Cuál es el nombre completo del protagonista? En tu cuaderno, anota de qué otras formas lo llaman.

B. Comenta estas cuestiones con otras personas de la clase. Puedes hacerlo en tu lengua.

1. ¿Dónde se encuentra el protagonista en cada una de las viñetas? ¿Con quién crees que está?

2. ¿Cuáles de estas formas de dirigirse a una persona te parecen formales y cuáles te parecen informales?

- señor Martínez
- Francisco
- Martínez
- señor Martínez Ortega
- Francisco Martínez Ortega
- Paquito
- mi amor

C. ¿Y a ti? ¿Todo el mundo te llama de la misma manera? Si quieres, compártelo con la clase.

- *Yo me llamo Janina, pero mis amigos me llaman Nina.*

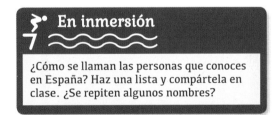

En inmersión

¿Cómo se llaman las personas que conoces en España? Haz una lista y compártela en clase. ¿Se repiten algunos nombres?

Construimos el

Haz una lista de las formas de saludar y de dirigirse a otra persona que conoces en español. ¿Hay equivalentes en tu idioma? ¿En qué situaciones los usas en tu lengua?

3. **ALT|DIGITAL** ESTUDIANTES DE ESPAÑOL /MÁS EJ. 3-5

A. **≡ MAP** Todas estas personas estudian español excepto una. ¿Quién?

Me llamo Lea y soy canadiense. Trabajo en un laboratorio. Soy científica. Tengo 41 años.

Hola, soy Gibson. Soy brasileño, de Goiânia, y trabajo de cocinero. Tengo 30 años.

Me llamo Ulrich. Soy alemán y soy estudiante de Arquitectura. Tengo 23 años.

Me llamo Maha y soy marroquí. Soy diseñadora de moda. Tengo 29 años.

Hola, mi nombre es Andrés. Soy argentino y soy profesor de español. Tengo 35 años.

Hola, mi nombre es Chloé. Soy francesa y soy periodista. Tengo 35 años.

B. En parejas, ¿sabéis de qué país son las personas anteriores? Escribidlo. Si no sabéis cómo se escribe, buscadlo en un diccionario o en internet.

- *Canadiense es de Canadá, ¿no?*
- ○ *Sí. ¿Cómo se escribe Canadá en español?*
- *Ce, a, ene, a, de, a, con acento en la última a.*

canadiense: de Canadá

CÁPSULA DE FONÉTICA 1

Vocales

C. ¿Dónde crees que trabajan o estudian las seis personas de A? Completa con los lugares de las etiquetas.

en una universidad   en un laboratorio   en un taller

en una escuela de lenguas   en un restaurante   en un canal de televisión

1. Lea: *en un laboratorio*
2. Gibson: _____
3. Ulrich: _____

4. Maha: _____
5. Andrés: _____
6. Chloé: _____

En inmersión

¿Qué profesiones observas en tu entorno en España? ¿Hay diferencias con tu país (profesiones nuevas para ti, las personas que las desempeñan, etc.)

D. Lee de nuevo los textos y copia en la tabla las estructuras que sirven para hablar del nombre, la nacionalidad, la profesión y la edad.

NOMBRE	NACIONALIDAD	PROFESIÓN	EDAD
Me llamo…			

E. Completa tu ficha. Luego, preséntate.

Nombre: _____
Nacionalidad: _____
Profesión: _____
Edad: _____

- *Hola, me llamo Paul, soy inglés y soy traductor. Tengo 25 años.*

Para comunicar

11 **once**	20 **veinte**	30 **treinta**	uno
12 **doce**	21 veintiuno	40 **cuarenta**	dos
13 **trece**	22 veintidós	50 **cincuenta**	tres
14 **catorce**	23 veintitrés	60 **sesenta**	cuatro
15 **quince**	24 veinticuatro	70 **setenta**	cinco
16 **dieciséis**	25 veinticinco	80 **ochenta**	seis
17 **diecisiete**	26 veintiséis	90 **noventa**	siete
18 **dieciocho**	27 veintisiete		ocho
19 **diecinueve**	28 veintiocho		nueve
	29 veintinueve		

"y" conecta las decenas con las unidades.

4. EN LA RECEPCIÓN /MÁS EJ. 6-9

A. 🔊 04-06 En la recepción de una escuela de español, tres estudiantes dan sus datos personales. Escucha y completa.

Barbara   brasileño   675312908   913490025   Katia   periodista   19   27   estudiante

B. 🔊 04-06 Ahora vuelve a escuchar e indica para qué sirven estas preguntas.

Para preguntar…

1. la nacionalidad / el lugar de origen.
2. el correo electrónico.
3. el nombre.

4. la profesión.
5. la edad.
6. el número de teléfono.

¿Cómo te llamas? ☐

¿Cuál es tu nombre? ☐

¿Cuántos años tienes? ☐

¿A qué te dedicas? ☐

¿En qué trabajas? ☐

¿Tienes correo electrónico? ☐

¿Tienes móvil? ☐

¿Cuál es tu número de teléfono? ☐

¿De dónde eres? ☐

5. ¿USTEDES SON ESTUDIANTES?

A. Lee estas conversaciones en una universidad. ¿De dónde son las personas que hablan?

1.
● Hola, ¿**tú** también eres estudiante?
○ Sí, hola, me llamo Luciano. Soy argentino. ¿Y **vos**?
● Yo me llamo Carlos y soy colombiano.

2.
● Hola, ¿**ustedes** son estudiantes?
○ Sí, somos Marta y Miguel, de España. ¿**Vosotros** también sois estudiantes?
● Sí. Venimos de Chile.

B. Fíjate en las palabras en negrita de A. ¿Cuáles se usan para dirigirse a una persona y cuáles para dirigirse a más de una persona?

6. LETRAS Y SONIDOS /MÁS EJ. 10, 11

🔊 07-08 Escucha las siguientes palabras y marca cómo se pronuncian las letras en negrita.

	/x/ como Javier	/g/ como Gael
1. **g**inecólogo		
2. **j**ueza		
3. blo**gu**ero		
4. **J**iménez		
5. len**g**uas		
6. bel**g**a		
7. ciru**j**ana		
8. **j**efa		
9. **gu**ineano		
10. in**g**eniera		
11. traba**j**o		
12. lin**g**üista		
13. psicólo**g**o		
14. nicara**g**üense		

	/k/ como casa	/s/ o /θ/ como pizarra
1. fran**c**esa		
2. **c**orreo		
3. sui**z**a		
4. na**c**ionalidad		
5. ar**qu**itecto		
6. **c**ubano		
7. médi**c**a		
8. **qu**é		
9. **z**umba		
10. vene**z**olano		

En inmersión

Observa cómo pronuncian las personas nativas la **s**, la **c** o la **z**. Averigua de qué parte de España o de América Latina son esas personas y toma nota de algunos ejemplos para comentarlos en clase. ¿Qué pronunciación te resulta más fácil?

Para comparar

→ ¿En tu lengua existen estos sonidos? ¿Cómo se escriben? ¿Alguno de ellos no existe? ¿Cuál?

→ ¿En tu lengua hay letras o grupos de letras que se pronuncian de forma distinta según el lugar de procedencia del hablante (como la **z** en español)?

Léxico

SALUDAR Y DESPEDIRSE

Buenos días.
Buenas tardes.
Buenas noches.
¡Hola!

Hola, ¿qué tal?
Hola, ¿cómo estás?
¡Adiós!
¡Hasta luego!

NÚMEROS /MÁS EJ. 12-14 ● P. 207

0	**cero**	24	**veinticuatro**
1	**uno**	25	**veinticinco**
2	**dos**	26	**veintiséis**
3	**tres**	27	**veintisiete**
4	**cuatro**	28	**veintiocho**
5	**cinco**	29	**veintinueve**
6	**seis**	30	**treinta**
7	**siete**	31	**treinta y** uno
8	**ocho**	32	**treinta y** dos
9	**nueve**	33	**treinta y** tres
10	**diez**	34	**treinta y** cuatro
11	**once**	35	**treinta y** cinco
12	**doce**	36	**treinta y** seis
13	**trece**	37	**treinta y** siete
14	**catorce**	38	**treinta y** ocho
15	**quince**	39	**treinta y** nueve
16	**dieciséis**	40	**cuarenta**
17	**diecisiete**	50	**cincuenta**
18	**dieciocho**	60	**sesenta**
19	**diecinueve**	70	**setenta**
20	**veinte**	80	**ochenta**
21	**veintiuno**	90	**noventa**
22	**veintidós**	99	**noventa y** nueve
23	**veintitrés**	100	**cien**

DATOS PERSONALES

(el) nombre: Virginie

(el / los) apellido/s: Butel

(la) edad: 28

(el) móvil, (el) celular: 631745871

(el) correo electrónico: virgibtl@gmail.com

(el) número de teléfono: 914445238

PROFESIONES /MÁS EJ. 15

científico/a

cocinero/a

estudiante

diseñador/a
de moda

periodista

profesor/a

traductor/a

enfermero/a

camarero/a

secretario/a

deportista

comercial

LUGARES DE TRABAJO

una universidad
un gimnasio
un laboratorio
un hospital
un periódico
un bar
un restaurante
un taller
un banco

una empresa (de transportes /
de telecomunicaciones…)
un despacho (de abogados /
de arquitectura…)
una agencia (de publicidad /
de viajes…)
una tienda
un supermercado
una escuela (de lenguas /
de yoga…)

EL GÉNERO /MÁS EJ. 16   ⊕ P. 208-209

EN LAS NACIONALIDADES

MASCULINO	FEMENINO	MASCULINO Y FEMENINO
-o	**-a**	
italian**o**	italian**a**	
brasileñ**o**	brasileñ**a**	
argentin**o**	argentin**a**	belg**a**
consonante	consonante + **a**	marroqu**í**
		estadounid**ense**
alemá**n**	alema**na**	canad**iense**
inglé**s**	ingle**sa**	
francé**s**	france**sa**	
portugué**s**	portugue**sa**	
españo**l**	españo**la**	

EN LAS PROFESIONES

MASCULINO	FEMENINO	MASCULINO Y FEMENINO
cociner**o**	cociner**a**	
secretari**o**	secretari**a**	period**ista**
profeso**r**	profeso**ra**	estudi**ante**
jue**z**	jue**za**	

 Profesiones que tienen la misma forma para el masculino y para el femenino: **comercial**, **chófer**, **policía**, **agente**, **modelo**.

PRONOMBRES PERSONALES DE SUJETO   ⊕ P. 216

	SINGULAR	PLURAL
1.ª persona	yo	nosotros / nosotras
2.ª persona	tú, vos, usted*	vosotros / vosotras, ustedes*
3.ª persona	él / ella	ellos / ellas

* **Usted** es una forma de tratamiento formal para dirigirse a una persona. En situaciones menos formales, en algunos lugares se usa **tú**, en otros **vos** y en otros se alternan los dos. **Vosotros/as** es la forma de tratamiento no formal para dirigirse a varias personas en el español europeo, donde **ustedes** es el tratamiento formal. En el español americano no se usa: solo se usa **ustedes** para dirigirse a varias personas, sin distinguir el tratamiento formal del no formal.

VERBOS SER, TENER Y LLAMARSE /MÁS EJ. 17, 18
⊕ P. 224-225

	SER	TENER	LLAMARSE
(yo)	**soy**	**tengo**	me llam**o**
(tú)	**eres**	**tien**es	te llam**as**
(él, ella, usted)	**es**	**tien**e	se llam**a**
(nosotros/as)	**somos**	ten**emos**	nos llam**amos**
(vosotros/as)	**sois**	ten**éis**	os llam**áis**
(ellos/as, ustedes)	**son**	**tien**en	se llam**an**

HABLAR DE DATOS PERSONALES /MÁS EJ. 19-22

- **¿Cómo te llamas / se llama?**
- **Me llamo** *Daniel.*

- **¿Cuál es tu / su nombre?**
- *Daniel.*

- **¿Cuál es tu / su apellido?**
- *Vigny.*

- **¿De dónde eres / es?**
- **Soy** *alemán.* **Soy de** *Berlín.*

- **¿Eres / Es francesa?**
- **Sí, soy de** *París.*
  No, soy *italiana.*

- **¿Cuántos años tienes / tiene?**
- **Tengo** *23 años.*

- **¿Tienes / Tiene** *móvil?*
- **Sí, es el** *627629047.*

- **¿Tienes / Tiene** *correo electrónico?*
- **Sí,** *pedro86@aula.com.*

- **¿En qué trabajas / trabaja?**
- **Soy** *estudiante* y **trabajo como** *recepcionista en un hotel.*

- **¿A qué te dedicas / se dedica?**
- **Trabajo en** *un banco.*
  Trabajo de *camarero.*
  Soy *comercial.*

7. **ALT|DIGITAL** EL TANGO, ARGENTINO

A. ¿De qué país proceden estas cosas? Escribe en tu cuaderno la nacionalidad que les corresponden. ¡Cuidado con el género!

el tango   el sushi   la pizza   el flamenco   la balalaica   el cruasán

El tango es argentino.

B. En parejas, pensad cuatro cosas y escribid la nacionalidad con la que relacionáis cada una.

C. Ahora, leédselas a otra pareja, que tendrá que adivinar la procedencia.

- *La bossa nova.*
- *¿Brasileña?*
- *¡Sí!*

> ### En inmersión
> Busca otras cosas típicas de España o de la región en la que estudias español y compártelas con la clase. Podéis hacer un mural con imágenes y los nombres de esas cosas.

8. **ALT|DIGITAL** MIS PALABRAS /MÁS EJ. 23, 27, 28

A. Piensa cuatro palabras importantes para ti. ¿Sabes cómo se dicen en español? Busca en el diccionario o pregunta a tu profesor/a.

- *¿Cómo se dice love en español?*
- *Amor.*
- *¿Cómo se escribe?*
- *A, eme, o, erre.*

B. Busca imágenes de las palabras que elegiste en el apartado A y prepara una presentación.

C. Presenta tus palabras a la clase y escribe en tu cuaderno las palabras nuevas para ti.

- *Amor, casa, familia y amigos.*
- *¿Qué significa "amigos"?*
- *Friends.*

9. ALT|DIGITAL PERSONAS INTERESANTES /MÁS EJ. 24

A. Busca en internet quiénes son estas personas y completa sus fichas.

Germaine Franco

Nacionalidad

Profesión

José Andrés Puerta

Nacionalidad

Profesión

Ana de Armas

Nacionalidad

Profesión

Inti Castro

Nacionalidad

Profesión

Vero Boquete

Nacionalidad

Profesión

B. Piensa en dos personas conocidas que crees que son interesantes y completa una ficha para cada una. Busca información en internet si lo necesitas.

Nombre: ....
Apellido/s: ....
Nacionalidad: ....
Profesión: ....
Edad: ....
Redes sociales: ....

En inmersión

Pregunta a personas de tu entorno por personajes españoles relevantes en la actualidad. ¿A qué se dedican? ¿De dónde son? Después, presenta en clase los que te parecen más interesantes.

C. Presenta a tus personajes al resto de la clase.

• *Se llama Phoebe Waller-Bridge. Es actriz, guionista y directora. Es inglesa y tiene...*

➕ **Para comunicar**

→ Se llama...
→ Es periodista / belga...
→ Tiene 30 / 45... años.
→ Su nombre / apellido / Instagram es...

10. ALT DIGITAL LAS PERSONAS DE LA CLASE /MÁS EJ. 25

A. Vas a hacer un cartel con la información de una persona de la clase. Hazle preguntas.

B. Crea el cartel y añade, si quieres, fotos, dibujos, etc.

11. UNA FIESTA

VEMOS EL VÍDEO

A. ▶1 Juan hace una fiesta en su casa. Ve el vídeo y completa la información que tienes de las personas que hablan en la cocina.

	NACIONALIDAD	PROFESIÓN
1. Melissa		
2. Tom		
3. Lucía		
4. Felipe		

DESPUÉS DE VER EL VÍDEO

B. Imagina que estás en una fiesta. Algunas personas hablan contigo. ¿Cómo reaccionas?

1. Hola, ¿qué tal? ....

2. Me llamo Óscar. ¿Tú cómo te llamas? ....

3. ¿En qué trabajas? ....

4. ¿De dónde eres? ....

C. En grupos, vais a hacer un vídeo con conversaciones en una fiesta. Primero, cada uno/a inventa sus datos personales (nombre y apellidos, profesión, edad, móvil, correo electrónico...). Después, grabad el vídeo.

2 / QUIERO APRENDER ESPAÑOL

EN ESTA UNIDAD VAMOS A

HABLAR SOBRE NUESTRA RELACIÓN CON EL ESPAÑOL Y CON LA CULTURA HISPANA

RECURSOS COMUNICATIVOS

- expresar intenciones
- explicar los motivos de lo que hacemos
- hablar de lo que sabemos hacer en distintos idiomas

RECURSOS GRAMATICALES

- el género
- los artículos determinados (**el**, **la**, **los**, **las**) e indeterminados (**un**, **una**, **unos**, **unas**)
- el presente de indicativo
- algunos usos de **por**, **para** y **porque**

RECURSOS LÉXICOS

- idiomas
- actividades de la clase de lengua
- actividades de ocio

Empezar

1. IMÁGENES DE LA CULTURA HISPANA /MÁS EJ. 1

A. Relaciona las imágenes con los siguientes aspectos de la cultura hispana. Hay varias posibilidades.

- la historia =
- la comida = 3
- el arte = 8
- la música = 5
- la vida nocturna = 2
- la literatura = 4
- el cine = 1
- la naturaleza = 7
- los pueblos y las ciudades = 6

B. ¿Cuáles son para ti los más interesantes?

- *Para mí, la historia.*
- *Para mí, la vida nocturna.*

2. ESTE FIN DE SEMANA /MÁS EJ. 2-5

(handwritten) Ir + a = infinitive
Ir + de compras / excursion
go to ...

A. Unai tiene algunas ideas para este fin de semana. ¿Qué cosas de la lista quiere hacer?

- escuchar música
- ir a un concierto
- ver la televisión
- ir a una exposición
- salir de noche

- visitar lugares históricos
- ir al cine
- salir a cenar
- cocinar
- ir de compras

- ir a la playa
- leer *(handwritten: = "ley-yer")*
- jugar a videojuegos
- ir de excursión *(handwritten: = one day trip)*
- hacer un curso de teatro

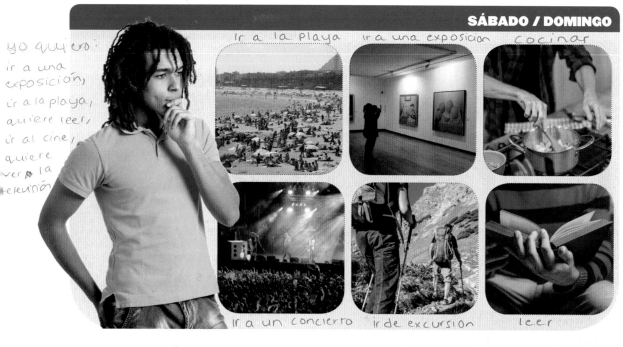

(handwritten on left of image)
yo quiero:
ir a una exposición,
ir a la playa,
quiere leer,
ir al cine,
quiere ver la televisión

(handwritten labels on image) SÁBADO / DOMINGO — Ir a la playa — ir a una exposición — cocinar — Ir a un concierto — ir de excursion — leer

(handwritten on right)
querer
yo quiero
tu quieres
el quiere
nos queremos
vos queréis
ellos quieren

yo quiero hablar español

- *Quiere ir de excursión.*

B. Subraya los verbos de la lista de A. ¿De qué tres formas pueden terminar los verbos?

(handwritten)
yo quiero ir a una
exposicion, quiero
hacer deporte, ~~ver, ver compras, gusta~~
~~o bebida~~, quiero ver
la television y quiero
escuchar música, quiero
ir de excursión

C. ¿Y tú? ¿Quieres hacer alguna de esas cosas el próximo fin de semana? ¿Quieres hacer otras? Coméntalo con tu compañero/a.

- *Yo, el sábado, quiero salir de noche. ¿Y tú?*
- *Yo también. Y quiero ir al cine.*
- *Pues yo quiero ir de excursión a...*

En inmersión

Busca información sobre actividades culturales en el lugar donde vives y escribe qué quieres hacer.

+ Para comunicar

- → ir al cine, ir al teatro
- → ir a la playa
- → ir a un concierto, ir a una exposición
- → ir de compras
- → salir a cenar, salir de noche, salir con amigos/as
- → visitar lugares históricos / a la familia
- → aprender idiomas / a bailar

3. HABLAR UN IDIOMA /MÁS EJ. 6, 8

A. ☰ **MAP** Lee este texto. ¿Qué acciones, según el texto, permiten estar en contacto con otros idiomas? ¿Se te ocurren otras? Coméntalo con otra persona de la clase.

¿ERES PLURILINGÜE?

Decimos que una persona es plurilingüe cuando se comunica en más de una lengua. En la actualidad, este fenómeno es muy común y existen cada vez más contextos en los que estamos en contacto con otras lenguas de manera natural: viajar (por turismo o por trabajo), ver series o películas de países de todo el mundo, leer y escribir en redes sociales, tener compañeros y compañeras de trabajo de diferentes nacionalidades, estudiar en otro país, etc.

B. 🔊 09 🔊 **ALT|VE** Escucha el diálogo. ¿Crees que Manuela es plurilingüe? ¿Por qué?

C. 🔊 09 🔊 **ALT|VE** Escucha de nuevo. ¿Qué hace Manuela en cada lengua?

D. ¿Y tú? ¿Eres plurilingüe? Haz una lista de las actividades de tu vida cotidiana que te permiten estar en contacto con otras lenguas. Luego, compártelo con el resto de la clase.

- Ver series y películas (en inglés y en francés).

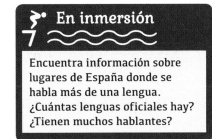

⚑ En inmersión

Encuentra información sobre lugares de España donde se habla más de una lengua. ¿Cuántas lenguas oficiales hay? ¿Tienen muchos hablantes?

／ Para comparar

Estos países tienen más de una lengua oficial:

Bolivia: español, quechua, aimara, guaraní y otras 34 lenguas originarias.

Paraguay: español y guaraní.

Perú: español, quechua, aimara y otras lenguas originarias.

España: español, catalán, gallego, euskera y aranés.

Guinea Ecuatorial: español, francés y portugués.

¿En tu país hay más de una lengua oficial? ¿Conoces otros países con varias lenguas oficiales?

Construimos el

Escribe actividades de ocio que crees que ayudan a aprender un idioma.

- Escuchar música.
- Escribir en redes sociales.

4. ¿FEMENINA O MASCULINA? /MÁS EJ. 11, 12

A. Marca qué palabras crees que son masculinas (M) y cuáles femeninas (F).

○ teatro	○ trabajo	○ noche
○ revista	○ cine	○ playa
○ película	○ clase	○ historia
○ coche	○ serie	○ diccionario
○ curso	○ comida	○ diario

B. Fíjate en las terminaciones de las palabras de la actividad anterior y relaciona.

1. Los nombres terminados en **-a**   **a.** ... normalmente son masculinos.
2. Los nombres terminados en **-o**   **b.** ... normalmente son femeninos.
3. Los nombres terminados en **-e**   **c.** ... son masculinos o femeninos.

> **CÁPSULA DE FONÉTICA 2**
>
>
>
> Enlaces de palabra

5. ¿QUIERES VER UNA PELÍCULA? /MÁS EJ. 13

A. Lee estos diálogos y luego completa la tabla con los artículos.

1.

● Quiero leer un libro en español.
○ ¿Sí? El último libro de Poniatowska está muy bien.

2.

● ¿Quieres ver una película?
○ ¡Sí! Quiero ver la nueva película de Almodóvar.
● ¡Buena idea! Las películas de Almodóvar
   son siempre muy interesantes.

B. Vuelve a leer los diálogos y piensa cómo
traduces a tu lengua los artículos destacados.

ARTÍCULOS DETERMINADOS

	SINGULAR	PLURAL
MASCULINO	el libr**o**	los libr**os**
FEMENINO	la películ**a**	las películ**as**

ARTÍCULOS INDETERMINADOS

	SINGULAR	PLURAL
MASCULINO	un libr**o**	unos libr**os**
FEMENINO	una películ**a**	unas películ**as**

6. ¿HABLAS INGLÉS? /MÁS EJ. 14-19

A. Lee este chat. ¿Qué quieren hacer Laura y Mark?

B. Subraya en el chat las formas de los verbos **hablar**, **comprender** y **vivir**, y completa la tabla.

	HABLAR	COMPRENDER	VIVIR
(yo)	hablo	....	....
(tú)	hablas	....	....
(él / ella, usted)	habla	comprende	vive
(nosotros/as)	hablamos	comprendemos	....
(vosotros/as)	habláis	comprendéis	vivís
(ellos/as, ustedes)	hablan	comprenden	viven

C. Ahora conjuga en tu cuaderno los verbos **estudiar**, **aprender** y **escribir**.

Laura
Hola, busco a alguien para practicar inglés.

Mark
Hola, yo soy irlandés. Hablo inglés y estudio español.

Laura
¿Vives en España? ¿En Madrid?

Mark
Sí, vivo en Madrid. Estudio Arquitectura en la Universidad Politécnica.

Laura
¡Qué bien! Los dos vivimos en Madrid.
Comprendes bien el español, ¿no?

Mark
Sí, comprendo casi todo, pero quiero hablar mejor.
Vivo con una chica inglesa y siempre hablamos inglés...

Laura
Yo quiero mejorar mi inglés por mi trabajo. Trabajo en un hotel y muchos turistas no hablan español.

7. YO HAGO MUCHOS EJERCICIOS /MÁS EJ. 9-10, 22-23

A. 🔊 10 Escucha a estas cuatro personas y escribe qué hace cada una para mejorar su español y aprender cosas sobre la cultura hispana.

1
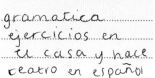
ISMAEL

gramatica ejercicios en tu casa y hace teatro en español

2

KELLY

read blogs, listen to music
Leer blogs, escuchas musica

3
GRAHAM

series, peliculas en español

4
IOANA

speak with friends (brazilian/columbian)

B. ¿Y tú? ¿Haces algunas de esas cosas? ¿Haces otras? Coméntalo con otra persona de la clase.

- Yo visito páginas web en español y leo blogs.
- Yo hago muchos ejercicios de gramática en casa.

C. Cuenta al resto de la clase qué cosas hace tu compañero/a.

- Martin hace muchos ejercicios de gramática.

En inmersión

¿Qué actividades puedes hacer en tu contexto de inmersión para practicar y mejorar tu español? ¿Cuáles prefieres?

8. QUIERO, QUIERES, QUIERE

A. ¿Cuáles de estas cosas quieres hacer en el futuro? Elige dos.

☐ Aprender otros idiomas.
☐ Vivir en un país hispanohablante.
☐ Tener amigos/as de habla hispana.
☐ Trabajar en un país de habla hispana.
☐ Pasar las vacaciones en un país hispanohablante.
☐ Estudiar en una universidad hispanoamericana.

B. Ahora compara tus respuestas con las de tus compañeros/as.
Luego, completa las frases, como en el ejemplo.

1. Yo quiero *tener amigos de habla hispana.*
2. Mi compañero *John* quiere *vivir en Perú.*
3. *Anne y yo queremos estudiar en una universidad latinoamericana y pasar las vacaciones en Cuba.*
4. *Katerina y Michael quieren pasar las vacaciones en España y aprender otros idiomas.*

1. Yo quiero *~~vivir~~ vivir en España*
2. Mi compañero/a *Katya* quiere *~~sabe~~ tienes hablas ~~la noche~~ con su amigas.*
3. *Nike* y yo queremos *aprendimos otras idiomas.*
4. *Ana* y *Eulalie* quieren *trabajar en un país de habla hispana.*

C. ¿Puedes conjugar ahora el verbo **querer**?

	QUERER
(yo)	*quiero*
(tú)	qui**e**res
(él / ella, usted)	*quiere*
(nosotros/as)	*queremos*
(vosotros/as)	queréis
(ellos/as, ustedes)	*quieran*

D. Ahora compara el verbo **querer** con otro acabado en **-er: comprender**.
¿Tienen las mismas terminaciones? ¿En qué se diferencian?

E. ¿Qué cosas quieres hacer en España? Escribe ejemplos y coméntalo con la clase.

9. [ALT][DIGITAL] ¿POR QUÉ ESTUDIAN ESPAÑOL? /MÁS EJ. 20, 21

A. Todas estas personas estudian español. ¿Por qué crees que lo hacen?
Compara tus respuestas con las de otras personas de la clase.

- Para leer en español.
- Por su trabajo.
- Para viajar.
- Porque su novio es colombiano.
- Para chatear con sus amigos.
- Porque quiere vivir en Costa Rica.

> • *Tom estudia español*
> *para chatear con sus amigos.*

TOM

SAM

VANESSA

ANDRÉ

ORNELLA

CRIS

B. Observa cómo se usan **por**, **para** y **porque**. ¿Cómo expresas lo mismo en tu lengua?

Motivos actuales:

EN ESPAÑOL	EN MI LENGUA
por + sustantivo *por su trabajo*	
porque + verbo conjugado *porque su novio es colombiano*	

Planes de futuro / Motivos en el futuro:

EN ESPAÑOL	EN MI LENGUA
para + infinitivo *para leer en español*	
porque + quiero / quieres… + infinitivo *porque quiere vivir en España*	

C. ¿Y tú, por qué quieres aprender español?

Quiero aprender español…

porque *quiero vivir en Español* .

para *hablar español con mis amigos* .

por *mi trabajo en el futuro* .

En inmersión

Pregunta a personas de tu entorno en España qué lenguas extranjeras estudian o saben. ¿Es similar en tu país?

Léxico

ASPECTOS RELACIONADOS CON LA CULTURA

la historia

la comida

what we do at the weekend

la música

la literatura

la naturaleza

los pueblos y las ciudades

el arte

el cine

la vida nocturna

IDIOMAS

(el) inglés	(el) ruso
(el) francés	(el) árabe
(el) alemán	(el) italiano
(el) chino	(el) español

! En español, el nombre del idioma casi siempre coincide con la forma masculina del gentilicio.

ACTIVIDADES DE OCIO Y DE LA CLASE DE LENGUA

Ir a un concierto | un museo | una exposición | la playa | el cine* | el teatro*

Ir de compras | excursión

Salir a cenar | bailar

Salir de noche

Salir con amigos/as | mis compañeros/as

a + el = al

Hacer un curso de teatro | un intercambio con un/a nativo/a | ejercicios de gramática | fotos

Ver la televisión | una serie | una película

Escuchar música | la radio | un pódcast

Leer el periódico | una revista | un libro

Escribir un mensaje | un texto | un diario

Hablar un idioma | español

Hablar con nativos/as | hispanohablantes

Visitar páginas web | lugares históricos | a la familia | a los/as amigos/as

Practicar la pronunciación | español

Jugar a videojuegos | el fútbol* | el tenis*

Aprender un idioma | idiomas | inglés

Aprender a bailar | tocar la guitarra

* a + el = al

Gramática y comunicación

EL GÉNERO DE ALGUNOS SUSTANTIVOS ⊕ P. 208

En general, los sustantivos acabados en **-o** son masculinos, excepto unos pocos: **la mano**, **la moto(cicleta)**, **la foto(grafía)**. Los acabados en **-a** son femeninos, pero hay numerosas excepciones: **el idioma**, **el pijama**, **el sofá**, **el clima**, **el sistema**… Los acabados en **-e** pueden ser masculinos o femeninos: **la gente**, **el cine**…

El problema 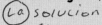 *(La) solución*
                                    sion

EL ARTÍCULO DETERMINADO ⊕ P. 209-210

	SINGULAR	PLURAL
MASCULINO	**el** curs**o**	**los** curs**os**
	el mensaj**e**	**los** mensaj**es**
FEMENINO	**la** play**a**	**las** play**as**
	la seri**e**	**las** seri**es**

EL ARTÍCULO INDETERMINADO ⊕ P. 209-210

	SINGULAR	PLURAL
MASCULINO	**un** curs**o**	**unos** curs**os**
	un mensaj**e**	**unos** mensaj**es**
FEMENINO	**una** play**a**	**unas** play**as**
	una seri**e**	**unas** seri**es**

HABLAR DE MOTIVOS /MÁS EJ. 26 ⊕ P. 221

	MOTIVOS ACTUALES
¿Por qué + verbo conjugado? **¿Por qué** estudias español?	**Por** + sustantivo *Por* mi <u>trabajo</u>.
	Porque + verbo conjugado *Porque* <u>trabajo</u> con españoles.
	PLANES DE FUTURO / MOTIVOS EN EL FUTURO
	Para + infinitivo *Para* <u>viajar</u> por Latinoamérica.
	Porque quiero / quieres… + infinitivo *Porque* <u>quiero trabajar</u> con españoles.

PRESENTE DE INDICATIVO: VERBOS REGULARES TERMINADOS EN -AR, -ER E -IR ⊕ P. 224

	HABLAR	COMPRENDER	ESCRIBIR
(yo)	habl**o**	comprend**o**	escrib**o**
(tú)	habl**as**	comprend**es**	escrib**es**
(él / ella, usted)	habl**a**	comprend**e**	escrib**e**
(nosotros/as)	habl**amos**	comprend**emos**	escrib**imos**
(vosotros/as)	habl**áis**	comprend**éis**	escrib**ís**
(ellos/as, ustedes)	habl**an**	comprend**en**	escrib**en**

PRESENTE DE INDICATIVO: VERBO HACER

	HACER
(yo)	ha**go**
(tú)	hac**es**
(él / ella, usted)	hac**e**
(nosotros/as)	hac**emos**
(vosotros/as)	hac**éis**
(ellos/as, ustedes)	hac**en**

EXPRESAR INTENCIONES Y PLANES ⊕ P. 221, 224

	QUERER	+ INFINITIVO
(yo)	qu**ie**ro	
(tú)	qu**ie**res	
(él / ella, usted)	qu**ie**re	**viajar** **aprender** idiomas **vivir** en España
(nosotros/as)	quer**emos**	
(vosotros/as)	quer**éis**	
(ellos/as, ustedes)	qu**ie**ren	

- ¿Qué **queréis hacer** este fin de semana?
- Yo **quiero leer** y **pasear**.

10. ALT|DIGITAL UN PAÍS EN IMÁGENES /MÁS EJ. 27

A. En parejas o pequeños grupos, vais a hacer una exposición fotográfica sobre un país hispanohablante. Elegid uno y buscad imágenes relacionadas con algunos de estos aspectos.

- la historia
- la comida
- el arte

- la música
- la vida nocturna
- la literatura

- el cine
- la naturaleza
- los pueblos y las ciudades

B. Ahora, presentad vuestro país al resto de la clase.

COLOMBIA

La música:
el vallenato

El arte:
escultura de Botero

La historia:
Simón Bolívar
y la bandera de Colombia

La comida:
maíz de colores

La naturaleza:
parque nacional Tayrona

La literatura:
Laura Restrepo
y el realismo mágico

Los pueblos y las ciudades:
Cartagena de Indias

C. Cada persona elige un país para visitar y explica por qué.

- *Yo quiero visitar Colombia por la historia y para visitar los pueblos y las ciudades.*

En inmersión

Busca y selecciona imágenes del lugar en el que estás. Preséntalas en clase justificando tus elecciones.

11. **ALT|DIGITAL** ¿QUÉ QUIERES HACER EN ESTE CURSO?

A. Escribe qué cosas podemos hacer en este curso para aprender español.

Buscar información en internet y chatear.

Practicar la pronunciación y...

Cocinar platos típicos...

Escribir postales y...

Ir de excursión y...

B. El / la profesor/a apunta en la pizarra las propuestas de todos/as los / las estudiantes. Luego, en pequeños grupos, decidid qué tres cosas queréis hacer en este curso.

En este curso, nosotros queremos...

- *Yo quiero hablar mucho en clase, ver películas en español y leer periódicos y revistas. ¿Y tú?*
- *Yo quiero escuchar canciones.*

C. Ahora, escribid vuestras preferencias y comentadlas con el resto de la clase.

12. ALT|DIGITAL EL ESPAÑOL Y YO /MÁS EJ. 24, 25, 28

A. ▶2 Una estudiante de español habla de su relación con la cultura hispana.
Ve el vídeo y completa la ficha.

Nombre: Yanling
Nacionalidad: ....
Lugar de residencia: ....
Lenguas que habla: ....
Por qué estudia español: ....
Qué cosas hace para aprender español: ....
Planes para el futuro: ....

B. Ahora escribe tú un testimonio como el anterior, para hablar de tu relación con las
lenguas y con la cultura hispana. Estas preguntas pueden ayudarte a escribir el texto.

1. ¿Cómo te llamas y de dónde eres?
2. ¿Dónde vives y dónde estudias español?
3. ¿Qué lenguas hablas?
4. ¿Por qué estudias español?
5. ¿Qué cosas haces para aprender español?
6. ¿Qué quieres hacer para mejorar tu español?
7. ¿Tienes planes para el futuro? ¿Qué quieres hacer?

Me llamo Zhadyra y soy de Kazajistán. Vivo en Moscú y estudio español en una escuela
de idiomas. Hablo kazajo, ruso e inglés. Estudio español porque...

C. Lee en voz alta tu texto y grábate. Si lo prefieres, haz un vídeo como el del apartado A.
Después, comparte tu testimonio con el resto de la clase.

13. TURISTAS EN MADRID

ANTES DE VER EL VÍDEO

A. En grupos, comentad qué son estas cosas. Si no sabéis qué son, podéis usar internet.

la paella   el flamenco   el Guernica   la Gran Vía de Madrid   el Reina Sofía
el Prado   el Thyssen-Bornemisza   las tapas   las cañas (de cerveza)

VEMOS EL VÍDEO

B. ▶ 3 Ve el vídeo hasta el minuto 00:47. Marca qué les interesa a las tres personas entrevistadas.

	Yanet	Thaísa	Carlos
1. la comida		○	○
2. el arte		○	○
3. la música		○	○
4. la vida nocturna		○	○
5. la gente		○	○
6. el cine		○	○
7. la arquitectura		○	○

C. ▶ 3 Ve el resto del vídeo. ¿Qué planes tienen las personas entrevistadas para los próximos días?

DESPUÉS DE VER EL VÍDEO

D. ¿Te gustaría visitar Madrid? ¿Por qué?

E. En grupos, imaginad que vais a Madrid un fin de semana. Decidid qué queréis hacer.

3 / ¿DÓNDE ESTÁ SANTIAGO?

Q
Santiago
Santiago de **Compostela**
Santiago de **Chile**
Santiago de **Cuba**
Santiago **mapa**

Santiago de Chile ❶

Santiago de Cuba

Santiago de Compostela ❸

Mapamundi

EN ESTA UNIDAD VAMOS A

HACER UN CONCURSO DE CONOCIMIENTOS DEL MUNDO HISPANO

RECURSOS COMUNICATIVOS

- describir lugares
- expresar existencia y ubicación
- hablar del clima y del tiempo

RECURSOS GRAMATICALES

- algunos usos de **hay**
- el verbo **estar**
- el superlativo
- cuantificadores: **muy, mucho/a/os/as**
- **qué, cuál/es, cuántos/as, dónde, cómo**

RECURSOS LÉXICOS

- el tiempo y el clima
- geografía
- datos sobre países
- los puntos cardinales
- las estaciones del año

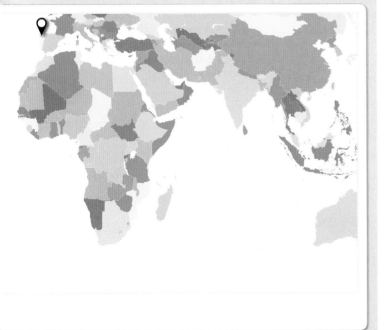

Empezar

1. CIUDADES QUE SE LLAMAN SANTIAGO

Observa las imágenes y lee los comentarios de estas personas. ¿De qué ciudad habla cada una?

JULIA
"Por fin en Santiago, después de un largo camino".

RAMÓN
"Santiago, la segunda ciudad más importante de la isla".

(ís-la)

MARIANA
"Santiago, la capital del país, con sus montañas nevadas. ¡Es la cordillera de los Andes!".

Bournemouth

2. TRES CIUDADES CON EL MISMO NOMBRE /MÁS EJ. 1, 2

A. ☰ MAP Lee el reportaje y di a qué ciudad se refieren estas frases según la información de los textos. Puede haber más de una opción.

1. Es la capital del país. *chile*
2. Es la ciudad más poblada de las tres. *chile*
3. Es una ciudad de peregrinaje. *chile compostela*
4. Tiene el reconocimiento de la Unesco. *comp*
5. Hay cafetales antiguos cerca. *cuba*
6. Es una ciudad universitaria. *compostela comp*
7. Es la ciudad más antigua de las tres. *cuba comp*
8. Está cerca de áreas naturales de interés. *compostela chile*

Ciudades con el mismo nombre

Hay cuatro ciudades en el mundo que se llaman Mérida, seis que se llaman Granada, más de diez que se llaman Madrid... También existen varias ciudades llamadas Santiago en países de habla hispana. Aquí tenemos tres de ellas.

Santiago de Chile

Es la capital de Chile y está en el centro del país. Fundada en el siglo XVI, Santiago tiene casi 7 millones de habitantes y es una de las ciudades más seguras y con mayor calidad de vida de Latinoamérica.

La ciudad tiene muchos lugares de *ubicación* interés turístico: la plaza de Armas, el palacio de La Moneda, la iglesia de Santo Domingo, el mercado central, el Museo Histórico Nacional... Su ubicación permite al viajero llegar, en poco tiempo, al campo, a la montaña y a la playa. Además, en los alrededores de Santiago están algunas de las zonas de producción de vino más conocidas y visitadas del país, como el valle de Colchagua.

Santiago de Cuba

Fundada en 1515 y capital de Cuba hasta 1556, es la segunda ciudad más importante del país, después de La Habana, la capital actual. Está situada en el sureste de la isla y tiene casi medio millón de habitantes.

Santiago de Cuba tiene importantes construcciones de interés turístico e histórico, como el castillo de San Pedro de la Roca, la primera catedral de Cuba o los restos de las primeras plantaciones de café, en el sureste de la isla. Además, en la ciudad hay muchos edificios de arquitectura colonial.

Santiago de Compostela

Tiene una población de aproximadamente 97 000 habitantes y más de diez siglos de historia. Esta ciudad, situada en el noroeste de la península ibérica, es la capital de Galicia, una de las comunidades autónomas de España.

El casco antiguo es Patrimonio de la Humanidad desde 1985. Tiene muchos monumentos y edificios históricos, además de la Universidad de Santiago de Compostela, una de las más antiguas del mundo. Miles de peregrinos procedentes de todas partes del mundo visitan cada año la ciudad, punto final del famoso Camino de Santiago.

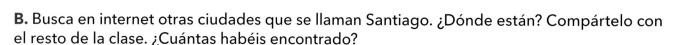

B. Busca en internet otras ciudades que se llaman Santiago. ¿Dónde están? Compártelo con el resto de la clase. ¿Cuántas habéis encontrado?

- *Hay otra Santiago en la República Dominicana. Se llama Santiago de los Caballeros.*

C. ¿Conoces otras ciudades con el mismo nombre? ¿Cuáles? Compártelo con la clase.

3. CAPITAL: SANTIAGO /MÁS EJ. 3

A. ¿Qué sabes sobre Chile? Coméntalo con el resto de la clase.

B. 📃 **ALT** Lee esta infografía sobre Chile y complétala con las palabras de las etiquetas.

lugares de interés turístico   población   clima   capital   un plato típico
un producto importante   lengua oficial   moneda

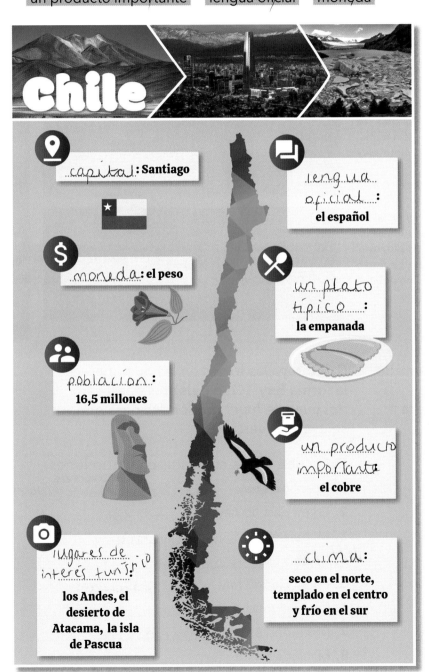

Chile

📍 .....capital.....: **Santiago**

💲 .....moneda.....: **el peso**

👥 .....población.....: **16,5 millones**

📷 lugares de interés turístico : **los Andes, el desierto de Atacama, la isla de Pascua**

💬 .....lengua oficial.....: **el español**

🍴 un plato típico : **la empanada**

🤲 un producto importante : **el cobre**

☀️ .....clima.....: **seco en el norte, templado en el centro y frío en el sur**

Construimos el LÉXICO

Completa estas frases sobre tu país.

- La capital es ..en chile.. (santiago)

- La/s lengua/s oficial/es es / son ..español..

- La moneda es ..el peso..

- Tiene ..16 : 5 millones.. habitantes

- El clima es ..seco en el norse y templado en el centro y frío en el sur..

- Un producto importante es ....

- Un plato típico es ..la empanada..

- Los lugares de interés turístico son ....

En inmersión

Elige una comunidad autónoma española y busca información para completar frases como las de "Construimos el léxico".

4. EL BLOG DE LOLA /MÁS EJ. 4-8

A. ☰ **ALT** ☰ **MAP** Lee el blog de Lola, que está de viaje por Latinoamérica. ¿En qué país crees que está ahora: en Guatemala, en Argentina o en Cuba?

En inmersión

Averigua o pregunta en tu entorno a qué países extranjeros viajan más los / las españoles/as.

Mi viaje por Latinoamérica

Lunes, 4 de febrero | 15:50 h

Segunda semana

Aquí todo es precioso. Hay unas playas de arena negra muy bonitas, están en la costa del Pacífico y son increíbles. Hoy estamos en la capital, que está en el centro del país. La gente es muy simpática y todo el mundo es muy amable. La comida también es muy buena: el tamal es un plato muy típico, pero mi favorito es el pepián...

Hace mucho calor y el clima es muy húmedo (llueve por la tarde casi todos los días), pero no importa. Mañana vamos a Tikal para visitar unas ruinas mayas que están en la selva. Tengo muchas ganas porque dicen que Tikal es muy bonito. Hay cinco templos antiguos y también hay palacios, plazas... Luego, Edu y yo queremos visitar una ciudad que se llama Chichicastenango. Allí hay un mercado muy conocido que queremos ver. Y después vamos en autobús a México.

Publicado por Lola Ordóñez | 5 comentarios

B. Ahora lee de nuevo el texto del apartado A y escribe las frases que contienen las formas **es / son** y las que contienen **está / están**. ¿Entiendes para qué se usan?

ES / SON

ESTÁ / ESTÁN

C. Subraya las frases en las que aparece la forma **hay**. ¿Qué palabras aparecen después de **hay**? ¿Entiendes para qué se usa este verbo?

D. Escribe frases con estas construcciones.

1. En mi país hay ..... muchos ~~estros~~ ciudades

2. En mi país no hay ..... mucho sol

3. Mi país es ..... muy turístico

4. Mi país está ..... muy frío

5. En mi ciudad hay ..... una playa

6. En mi ciudad no hay ..... montañas

7. Mi ciudad es ..... precioso

8. Mi ciudad está ..... en la sur

5. ¿ARGENTINA TIENE MÁS DE 75 MILLONES DE HABITANTES? /MÁS EJ. 9, 10

A. Lee estas frases sobre Argentina. ¿Crees que son verdaderas o falsas? Márcalo.

		V	F
1.	Tiene más de 75 millones de habitantes. *40m*	☑	☑ ✓
2.	El centro y el sur del país son las zonas más pobladas. *poco*	☑	○ ✓
3.	En el sur de Argentina hay muchos lagos. *(water)*	✓	○
4.	El clima es tropical en todo el país. *North: tropical sur: mucho frío*	☑	○ ✓
5.	Los Andes están en el oeste. *(west) cerros, volcanes*	✓	○
6.	El bife a caballo es un plato típico.	✓	○
7.	El mate es una bebida típica.	✓	○
8.	Hay dos lenguas oficiales: el inglés y el español.	○	✓
9.	Boca Juniors y River Plate son dos equipos de béisbol.	○	✓

B. 🔊 **11** Ahora escucha y comprueba si tus respuestas de A son correctas.

C. Lee estas frases y observa las palabras destacadas. Después, completa la regla.

1. ¿Argentina es un país **muy** turístico?
2. En el sur hace **mucho** frío y en algunas zonas llueve **mucho** y nieva.
3. ¿Y hay **muchas** montañas?
4. En Argentina hay **muchos** cerros, volcanes…
5. Los argentinos comen **mucha** carne, ¿no?

cerros: hills
oeste: west

describing word · *object/subject* · *action*

	describing word	*object/subject*	*action*
1. Usamos **muy** antes de…	✓ adjetivos	sustantivos	verbos
2. Usamos **mucho**, **mucha**, **muchos**, **muchas** antes de…	adjetivos	✓ sustantivos	verbos
3. Usamos **mucho** después de…	adjetivos	sustantivos	x verbos

D. Trabaja con la transcripción y busca ejemplos para cada caso de la tabla de C.

1. MUY

muy turístico

2. MUCHO, MUCHA, MUCHOS, MUCHAS

3. MUCHO

La chica es muy inteligente (adjective)
(sustantivo)
Hay muchas personas en clase
(verb)
María come mucho

6. JUEGA Y GANA /MÁS EJ. 11, 12

A. ▤ **ALT** ▤ **MAP** Una agencia de viajes sortea un viaje a México entre los / las clientes/as que contesten correctamente a estas preguntas. ¿Quieres intentarlo?

CONCURSO MÉXICO LINDO

Contesta a estas preguntas sobre México
y gana un fabuloso viaje a CANCÚN

1. ¿Cuáles son las dos ciudades más pobladas de México?
- Ciudad de México y Ecatepec.
- Ciudad de México y Guadalajara.
- Ciudad de México y Puebla.

2. ¿Qué son las enchiladas?
- Una música típica.
- Unas casas típicas.
- Un plato típico.

3. ¿Cuántas lenguas oficiales hay?
- Ninguna.
- Dos: el español y el maya.
- Una: el español.

4. ¿Dónde está Oaxaca?
- En el norte.
- En el centro.
- En el sur.

5. ¿Cuál es la moneda?
- El euro.
- El peso.
- El dólar.

6. ¿Qué dos animales aparecen en la bandera de México?
- El cóndor y el águila.
- El jaguar y el cóndor.
- La serpiente y el águila.

7. ¿Cómo es el clima en la costa atlántica?
- Frío.
- Tropical y lluvioso.
- Seco.

8. ¿Qué es el tequila?
- Un estado.
- Una fiesta popular.
- Una bebida.

B. Ahora observa estas preguntas del test y piensa cómo las dices en tu lengua. ¿Qué palabras usas para traducir **qué** y **cuál / cuáles**? ¿Usas la misma o usas diferentes palabras?

1. **¿Qué** es el tequila?
2. **¿Qué** son las enchiladas?
3. **¿Qué** dos animales aparecen en la bandera de México?
4. **¿Cuál** es la moneda?
5. **¿Cuáles** son las dos ciudades más pobladas de México?

C. ¿Para qué se usan **dónde**, **cuánto/a/os/as** y **cómo**? Relaciona.

1. Usamos **dónde**...	a. ... para preguntar por la cantidad.
2. Usamos **cuántos/as**...	b. ... para preguntar por el modo.
3. Usamos **cómo**...	c. ... para preguntar por el lugar.

CÁPSULA DE FONÉTICA 3

Acentuación

D. Busca información sobre un país de Centroamérica o el Caribe y completa una ficha como esta. Después, pregunta a tu compañero/a para completar la ficha del país que ha elegido.

Capital: *Tegucigalpa*
Lengua oficial:
Moneda:
Población:

Clima:
Un producto importante:
Un plato (o una bebida) típico:
Lugares de interés turístico:

- *Mi país es Honduras.*
- *¿Cuál es la capital?*
- *Tegucigalpa.*

7. MUNDO LATINO EN SUPERLATIVO /MÁS EJ. 13, 14

A. Lee estos datos curiosos sobre algunos países de habla hispana. Complétalos.

1. El Aconcagua está en .... y **es la** montaña **más** alta **de** América.
2. El desierto de Atacama **es el** lugar **más** seco **del** planeta y está en ....
3. El volcán Arenal está en .... y es **uno de los** volcanes **más** activos **del** mundo.
4. **Es el** país **más** poblado **del** mundo hispano: ....
5. **Son las** dos ciudades **más** pobladas **del** mundo hispano: Buenos Aires y ....
6. **Son los mayores** productores de aguacates **del** mundo: .... y la República Dominicana.

B. 🔊 12 Ahora escucha el audio y comprueba.

C. Piensa en datos curiosos de tu país y escribe frases como las de A (escribe, al menos, una información falsa). Luego, lee las frases a tus compañeros/as, que tienen que detectar la información falsa.

8. ¿QUÉ TIEMPO HACE? /MÁS EJ. 15-17

A. Estas fotos son de *webcams* de España. ¿Qué tiempo hace en los siguientes lugares?

hace frío y nieva   hace sol   hace viento   está nublado / hay muchas nubes   hace calor   llueve

TARIFA 25°C | SAN SEBASTIÁN 9°C | TENERIFE 33°C | BARCELONA 15°C | JACA -2°C | SANTANDER 3°C

B. Describe cómo es el tiempo en tu país o ciudad.

En Gotemburgo, en verano hace sol y no hace mucho frío. Y en verano y en otoño llueve mucho. En invierno...

C. Descríbele el clima de uno de los siguientes lugares a otra persona, que tiene que adivinar de qué lugar estás hablando.

1. la selva amazónica
2. Inglaterra
3. Mallorca
4. el desierto del Sáhara
5. Siberia
6. el Caribe

• *El clima es muy seco y llueve muy poco.*
◦ *¡Es el desierto del Sáhara!*

+ Para comunicar

→ En verano
→ En otoño   hace...
→ En invierno   hay...
→ En primavera

En inmersión
Pregunta a personas de tu ciudad en España qué tiempo hace en cada estación.

Léxico

EL TIEMPO Y EL CLIMA

 Hace calor / frío.

 Llueve.

 Hace viento.

 Nieva.

 Está nublado. / Hay nubes.

El clima es templado / tropical / frío / árido / seco / cálido / húmedo.

DATOS SOBRE PAÍSES

- la capital
- la/s lengua/s oficial/es
- la moneda
- la población
- el clima
- el / los producto/s importante/s
- el / los plato/s típico/s
- el / los lugar/es de interés turístico

PUNTOS CARDINALES

norte
noroeste
noreste
oeste
este
suroeste
sureste
sur

ESTACIONES DEL AÑO /MÁS EJ. 20

(el) invierno

(la) primavera

(el) verano

(el) otoño

GEOGRAFÍA /MÁS EJ. 21-24

el volcán

la montaña

la cordillera

el desierto

el río

el lago

la selva

el bosque

la costa

la península

la isla

la catarata

CONTINENTES Y OCÉANOS

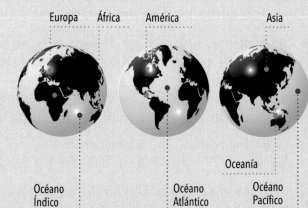

Europa   África   América   Asia

Oceanía

Océano Índico   Océano Atlántico   Océano Pacífico

DESCRIBIR (¿CÓMO ES / SON?) Y DEFINIR (¿QUÉ ES / SON?) LUGARES, PERSONAS O COSAS

SER + ADJETIVO	**SER** + SUSTANTIVO
Perú **es** muy <u>bonito</u>. **Los** peruanos **son** muy <u>amables</u>.	México **es** <u>un país</u> muy turístico. **Las** rancheras **son** <u>canciones</u>.

EXPRESAR EXISTENCIA: HAY P. 209-211

Hay es la forma impersonal del presente del verbo **haber** y se usa para informar de la existencia de algo.

En Barcelona **hay un** estadio de fútbol muy grande.
En Ciudad de México **hay una** plaza muy famosa: El Zócalo.
En Paraguay **hay dos** lenguas oficiales.
En Costa Rica **hay muchos** parques naturales.
En Chile **hay muchas** montañas.
En Venezuela **hay** petróleo / selvas...
En España **no hay** petróleo / selvas...

❗ **Hay** es invariable: tiene una sola forma para hablar tanto de sustantivos en singular como en plural.

❗ **Hay** nunca se combina con un artículo determinado.
~~**Hay el** lago precioso.~~ → **Hay un** lago precioso.

❗ El lugar puede estar antes o después de **hay**.
<u>En Barcelona</u> **hay un** estadio de fútbol muy grande.
Hay un estadio de fútbol muy grande <u>en Barcelona</u>.

EXPRESAR UBICACIÓN: ESTAR P. 220

	ESTAR
(yo)	**estoy**
(tú)	**estás**
(él / ella, usted)	**está**
(nosotros/as)	**estamos**
(vosotros/as)	**estáis**
(ellos/as, ustedes)	**están**

Tikal **está** en Guatemala.
Las islas Galápagos **están** en Ecuador.

EL SUPERLATIVO ⊕ P. 215

El superlativo define un lugar, persona o cosa como el lugar, la persona o la cosa que tiene el grado máximo de una cualidad (más grande, más pequeño…) dentro de un conjunto.

El Prado **es el** museo **más** famoso **de** Madrid.
Asunción **es la** ciudad **más** grande **de** Paraguay.
El Nilo y el Amazonas **son los** ríos **más** largos **del** mundo.
El Everest y el K2 **son las** montañas **más** altas **del** mundo.

CUANTIFICADORES /MÁS EJ. 18, 19 ⊕ P. 213-214

MUCHO/A/OS/AS + SUSTANTIVO
En esta región hay **mucho** <u>café</u>. En esta ciudad hay **mucha** <u>contaminación</u>. En España hay **muchos** <u>tipos</u> de queso. En México hay **muchas** <u>ciudades</u> bonitas.

MUY + ADJETIVO	VERBO + **MUCHO**
El lago Maracaibo es **muy** <u>grande</u>. Las selvas de Venezuela son **muy** <u>húmedas</u>.	En el sur de Argentina <u>llueve</u> **mucho**.

❗ **Mucho** (después de verbo) y **muy** son formas invariables.

PREGUNTAR Y RESPONDER ⊕ P. 219-220

- **¿Cómo** es el clima en Cuba?
- ○ Tropical.

- **¿Dónde** está Panamá?
- ○ En Centroamérica.

- **¿Cuántos** habitantes hay en España?
- ○ 47 millones.

- **¿Cuántas** lenguas oficiales hay en Perú?
- ○ Dos: el español y el quechua.

PARA DEFINIR: QUÉ

- **¿Qué** es el mate?
- ○ Una infusión.

- **¿Qué** son las castañuelas?
- ○ Un instrumento musical.

PARA IDENTIFICAR: QUÉ + SUSTANTIVO, CUÁL / CUÁLES

- **¿Qué** gran río nace en Perú?
- ○ El Amazonas.

- **¿Cuál** es la capital de Venezuela?
- ○ Caracas.

- **¿Qué** platos típicos hay en Perú?
- ○ Muchos: el ceviche, el cuy…

- **¿Cuáles** son los dos países de habla hispana más grandes?
- ○ Argentina y México.

Practicar y comunicar

9. ¿OSOS EN ESPAÑA?

En este mapa hay cuatro cosas que no corresponden a España. ¿Cuáles son? Comentadlo en parejas.

- *La Sagrada Familia está en España, ¿verdad?*
- *Sí, está en Barcelona.*

- *No hay petróleo en España, ¿no?*
- *No sé...*

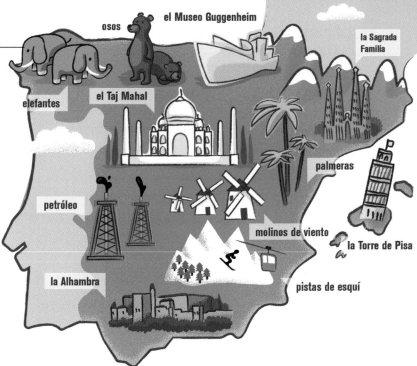

osos

el Museo Guggenheim

la Sagrada Familia

elefantes

el Taj Mahal

petróleo

palmeras

molinos de viento

la Torre de Pisa

la Alhambra

pistas de esquí

camellos

10. ¿DE QUÉ PAÍS SE TRATA?

A. Adivina de qué país de habla hispana se trata en cada caso. Tu profesor/a sabe las respuestas.

1. Hay un río famoso por sus colores.

2. El Machu Picchu está ahí.

3. Es el país más grande de Hispanoamérica.

4. Hay dos lenguas oficiales: el español y el guaraní.

5. Es el país más largo y estrecho del mundo.

6. Está en Norteamérica.

B. Escribe seis frases como las anteriores, sin decir el nombre del país. ¿Tu compañero/a sabe de qué país se trata?

- *El Kilimanjaro está ahí.*
- *¿Kenia?*
- *No.*
- *¿Tanzania?*
- *Sí.*

CAÑO CRISTALES

MACHU PICCHU

11. ¿TE SORPRENDE?

A. **ALT|DIGITAL** Estas fotografías nos muestran imágenes poco conocidas de seis países del mundo hispano. ¿Sabes de cuáles? Escríbelo.

a. ....

b. ....

c. ....

d. ....

e. ....

f. ....

B. Ahora lee los textos para ver si has acertado.

1 La Colonia Tovar es un pueblo pequeño que está cerca de Caracas, en Venezuela. En este pueblo viven muchos alemanes y descendientes de alemanes; por eso, las casas tienen ese aspecto.

2 En España hay varios carnavales muy populares. Los más conocidos son los carnavales de Tenerife, Gran Canaria y Cádiz.

3 El béisbol es el deporte nacional de Cuba. Muchos cubanos aprenden a jugar al béisbol cuando son pequeños.

4 La Plata, en Argentina, es una ciudad completamente planificada, con forma de cuadrícula, construida a partir de 1882.

5 El Santuario El Rosario, en Michoacán, México, es una reserva natural de mariposas. Millones de mariposas monarca pasan aquí los meses de noviembre a marzo.

6 El salar de Uyuni está en Bolivia y es el desierto de sal más grande del mundo. Tiene unos 12 kilómetros y unos 10 000 millones de toneladas de sal.

C. Muestra una fotografía de algún aspecto poco conocido de tu país (u otro) y comparte con la clase qué representa.

12. ALT|DIGITAL UN PAÍS INTERESANTE /MÁS EJ. 25

A. Piensa en un país que te interesa o que conoces bien y escribe un texto sobre él.

China es un país muy grande y muy interesante. Está en Asia y la capital es Pekín. Es el país más poblado del mundo. La lengua oficial es el chino mandarín, pero hay muchos dialectos y otras lenguas.

B. Ahora preséntaselo a la clase.

C. De todos los países que se han presentado, ¿cuáles quieres visitar?

- *Yo, China y Tailandia.*

13. ALT|DIGITAL UN CONCURSO SOBRE PAÍSES

A. Dividimos la clase en dos equipos. Cada equipo prepara ocho tarjetas con preguntas sobre países (del mundo hispano u otros).

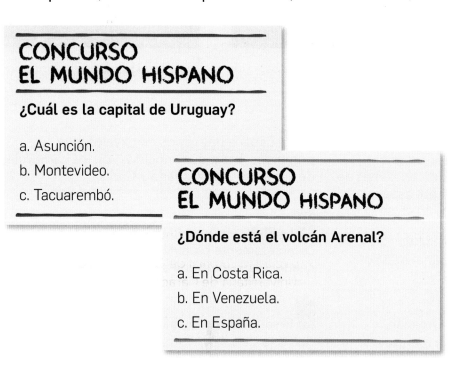

CONCURSO EL MUNDO HISPANO

¿Cuál es la capital de Uruguay?

a. Asunción.
b. Montevideo.
c. Tacuarembó.

CONCURSO EL MUNDO HISPANO

¿Dónde está el volcán Arenal?

a. En Costa Rica.
b. En Venezuela.
c. En España.

CONCURSO EL MUNDO HISPANO

B. Por turnos, cada equipo hace una pregunta al equipo contrario, que tiene 30 segundos para contestar. Si la respuesta es correcta, gana un punto. Gana el equipo que consigue más puntos.

14. CURIOSIDADES DE VENEZUELA

ANTES DE VER EL VÍDEO

A. Antes de ver el vídeo, lee las siguientes afirmaciones sobre Venezuela
y marca si crees que son verdaderas o falsas.

	V	F		V	F
1. Hay playas.		○	**5.** Tiene el mismo clima en todo el país.	○	○
2. No nieva nunca.		○	**6.** Hay tres sitios declarados Patrimonio de la Humanidad.	○	○
3. Hay selva.		○	**7.** Produce cacao.		○
4. Hay lagos muy grandes.		○	**8.** Hay tres lenguas oficiales.		○

VEMOS EL VÍDEO

B. ▶4 Ahora ve el vídeo y comprueba tus respuestas de A.

C. ▶4 Vuelve a ver el vídeo: ¿qué tienen de especial estos lugares? Anótalo en tu cuaderno.

1. La zona de los Andes tropicales.

2. El lago de Maracaibo.

3. Los parques nacionales Parima Tapirapecó y Canaima.

4. El theobroma cacao.

5. La ciudad colonial de Coro y la Ciudad Universitaria de Caracas.

6. El Salto Ángel.

7. El teleférico de Mérida.

DESPUÉS DE VER EL VÍDEO

D. En grupos, elegid uno de los lugares de C y buscad información e imágenes. Luego, toda la clase crea un mapa interactivo de Venezuela para presentar esa información.

SEIS **LUGARES**
PARA IR DE COMPRAS

OFERTA UNO 2 €

Mercadillo de El Rastro
Madrid

Tienda Camper
Palma de Mallorca

FURLA   FURLA

Tienda Furla
Barcelona

Feria artesana de La Mola
Formentera

EN ESTA UNIDAD VAMOS A

SIMULAR COMPRAS EN UN MERCADILLO

RECURSOS COMUNICATIVOS

- identificar objetos
- expresar necesidad
- comprar en tiendas: preguntar por productos, pedir precios, etc.
- hablar de preferencias

RECURSOS GRAMATICALES

- los demostrativos (**este** / **esta** / **estos** / **estas**, **esto**)
- **el** / **la** / **los** / **las** + adjetivo
- **tener que** + infinitivo
- los verbos **ir** y **preferir**
- **qué** + sustantivo, **cuál** / **cuáles**

RECURSOS LÉXICOS

- los números a partir de 100
- los colores
- prendas de vestir y accesorios
- objetos de uso cotidiano
- usos del verbo **llevar**
- combinaciones con **ir**

Tienda Mango
Valencia

Centro Comercial Rosaleda
Málaga

Empezar

1. DE COMPRAS /MÁS EJ. 1

A. Estos son distintos lugares para comprar en ciudades españolas. ¿Qué productos venden en cada uno?

- ropa
- zapatos
- bolsos

- libros
- perfumes
- accesorios

- *En el mercadillo del Rastro venden libros.*

B. ¿Dónde compráis vosotros/as los productos de A?

mercados   mercadillos   tiendas
internet   supermercados
centros comerciales

- *Yo compro ropa en tiendas pequeñas.*
- *Pues yo por internet, y siempre compro ropa de segunda mano.*

2. ROPA DE SEGUNDA MANO /MÁS EJ. 2-4

A. 🔊 13 🔊 ALT|CO ☰ MAP Mario y Carla quieren comprar camisetas de segunda mano en internet. Escucha la conversación y señala de qué camisetas hablan.

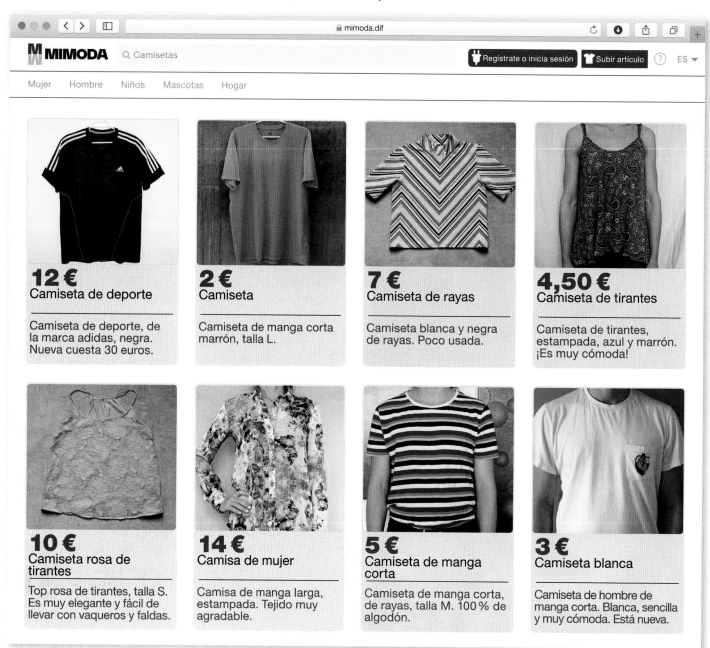

⬤ ⬤ ⬤ < > ▢   🔒 mimoda.dif   ↻ ⬇ ⬆ ◻ +

M MIMODA   🔍 Camisetas   🔌 Regístrate o inicia sesión 👕 Subir artículo ? ES ▾

Mujer   Hombre   Niños   Mascotas   Hogar

12 €
Camiseta de deporte
Camiseta de deporte, de la marca adidas, negra. Nueva cuesta 30 euros.

2 €
Camiseta
Camiseta de manga corta marrón, talla L.

7 €
Camiseta de rayas
Camiseta blanca y negra de rayas. Poco usada.

4,50 €
Camiseta de tirantes
Camiseta de tirantes, estampada, azul y marrón. ¡Es muy cómoda!

10 €
Camiseta rosa de tirantes
Top rosa de tirantes, talla S. Es muy elegante y fácil de llevar con vaqueros y faldas.

14 €
Camisa de mujer
Camisa de manga larga, estampada. Tejido muy agradable.

5 €
Camiseta de manga corta
Camiseta de manga corta, de rayas, talla M. 100 % de algodón.

3 €
Camiseta blanca
Camiseta de hombre de manga corta. Blanca, sencilla y muy cómoda. Está nueva.

B. Ahora, elige una camiseta para ti y otra para otra persona de la clase. Puedes mirar otras camisetas en páginas web de venta de ropa de segunda mano o de marcas que te gusten.

- *Para mí, la marrón, de manga corta. Para Julia, la de tirantes estampada, azul y marrón.*

3. YO NUNCA LLEVO SECADOR DE PELO /MÁS EJ. 5-7

A. Lucas va a pasar un fin de semana de verano en un apartamento en la costa. ¿Sabes cómo se llaman las cosas que lleva?

- ○ una chaqueta
- ○ una camiseta
- ○ una camisa
- ○ unos pantalones cortos
- ○ un bañador
- ○ ropa interior
- ○ unas sandalias
- ○ una toalla de playa

- ○ un libro
- ○ unas gafas de sol
- ○ medicamentos
- ○ un cargador de móvil
- ○ el carné de identidad
- ○ dinero
- ○ una tarjeta de crédito
- ○ un peine

- ○ pasta de dientes
- ○ crema solar
- ○ un cepillo de dientes
- ○ champú y gel de baño
- ○ un secador de pelo
- ○ unas zapatillas deportivas

B. ▶ 5 Ve el vídeo y comprueba si has relacionado todas las imágenes con la palabra correcta.

En inmersión

Pregunta en tu entorno en España cuáles son los destinos preferidos para hacer "una escapada" de fin de semana.

Construimos el

ALT | DIGITAL Haz una lista con las cosas que siempre llevas cuando vas de viaje. Luego compárala con la de otras personas. ¿En qué coincidís?

- • *Yo siempre llevo un antifaz y unos tapones. Y cuando viajo por trabajo, siempre llevo un ordenador portátil.*
- ○ *Pues yo, en verano, siempre llevo un bañador...*

4. ¿QUÉ TENGO QUE LLEVAR? /MÁS EJ. 8-11

A. ¿Qué cosas tienes que llevar en las siguientes situaciones? Relaciona.

1. Voy de viaje al extranjero.
2. Voy de compras.
3. Voy a la playa a tomar el sol.
4. Voy al gimnasio.
5. Quiero alquilar un coche.

○ Tengo que llevar dinero o una tarjeta de crédito.
○ Tengo que llevar el carné de conducir.
○ Tengo que llevar ropa de deporte.
○ Tengo que llevar crema solar.
○ Tengo que llevar el pasaporte.

> **CÁPSULA DE FONÉTICA 4**
> La erre

B. ¿Entiendes qué significa **tener que**? ¿Cómo se dice en tu lengua?

C. ¿Qué tienes que llevar en estas situaciones? Termina las frases.

1. Esta tarde tengo clase de español. _____.
2. Mañana es la fiesta de cumpleaños de Clara. _____.
3. Para la cena en casa de Verónica y Jesús, _____.

5. ALT|DIGITAL LLEVA UNA CHAQUETA MARRÓN /MÁS EJ. 13-14, 16

A. ¿Qué llevan estas personas? Relaciona las imágenes con las descripciones.

A   B   C   D

En inmersión

¿Notas diferencias en la manera de vestir en España y en tu país? ¿Cuáles?

1. Lleva un jersey gris y una falda verde. ☐
2. Lleva unos pantalones azules y una camisa de cuadros azul y blanca. ☐
3. Lleva un vestido blanco y negro y unas sandalias azules. ☐
4. Lleva una chaqueta marrón y una gorra gris. ☐

B. Escribe más frases para describir la ropa y los accesorios que llevan las personas de A.

C. Describe tus tres prendas de ropa preferidas y tus dos accesorios preferidos.

/ Para comparar

En español, los adjetivos de color siempre van después del sustantivo al que complementan. ¿Y en tu lengua?

6. LA AZUL ES MUY PEQUEÑA /MÁS EJ. 15

A. Lee estas frases. ¿De qué crees que habla cada una? Márcalo.

1. La azul es muy pequeña.
- ☐ un jersey
- ☐ una camiseta
- ☐ unas sandalias

2. Los verdes son muy bonitos.
- ☐ unas sandalias
- ☐ un bañador
- ☐ unos pantalones

3. Las más caras son las rojas.
- ☐ unos zapatos
- ☐ unas sandalias
- ☐ unos jerséis

4. ¡El negro es precioso!
- ☐ un bañador
- ☐ unas gafas de sol
- ☐ una camiseta

B. ¿A qué otras prendas de ropa u objetos pueden referirse estas frases?

1. La azul es muy pequeña. _____

2. Los verdes son muy bonitos. _____

3. Las más caras son las rojas. _____

4. ¡El negro es precioso! _____

C. En pequeños grupos, observad las imágenes y responded a las preguntas.

1. ¿Qué **maleta** es…
- más práctica?
- más moderna?
- más fea?

2. ¿Qué **gafas** son…
- más baratas?
- más elegantes?
- más bonitas?

93 €

12 €

29,90 €

3. ¿Qué **jersey** es…
- más clásico?
- más bonito?
- más caro?

24,90 €
17,99 €
95,70 €

4. ¿Qué **zapatos** son…
- más originales?
- más prácticos?
- más feos?

- *¿Qué maleta es más práctica?*
- *Para mí, la amarilla, porque es pequeña y...*

7. ¿ESTA O ESTA? /MÁS EJ. 18

A. Lee las conversaciones y fíjate en las palabras marcadas. Escribe debajo de cada conversación a qué sustantivo se refieren. Marca también el género y el número de ese sustantivo.

> ¿Cuáles son más bonitas?
> ¿Estas o estas?

> Las verdes.

1. Sustantivo: _____
☐ masculino ☐ femenino ☐ singular ☐ plural

> ¿Cuáles prefieres?
> ¿Estos o estos?

> Los negros.

2. Sustantivo: _____
☐ masculino ☐ femenino ☐ singular ☐ plural

> ¿Cuál es más barato?
> ¿Este o este?

> El gris.

3. Sustantivo: _____
☐ masculino ☐ femenino ☐ singular ☐ plural

> ¿Cuál compro?
> ¿Esta o esta?

> La azul.

4. Sustantivo: _____
☐ masculino ☐ femenino ☐ singular ☐ plural

B. Ahora busca en las conversaciones de A las marcas de género y número que concuerdan con los sustantivos **sandalias**, **jersey**, **zapatos** y **camiseta**.

- ¿Cuáles son más bonitas? ¿Estas o estas?
- Las verdes.

C. Observa la viñeta de la derecha. ¿Qué significa **esto**? ¿Cuándo lo usamos?

> ¿Esto qué es: una camiseta o un vestido?

8. ¡BINGO! /MÁS EJ. 19, 20

A. Este es tu cartón para jugar al bingo. Primero escribe las cifras en letras.

| 200 € | 500 £ | 300 £ | 900 € | 800 £ | 400 € | 600 £ | 700 £ |
| doscientos | | | | | | | |

| 500 € | 200 £ | 900 £ | 300 € | 800 € | 600 € | 700 € | 400 £ |
| | doscientas | | | | | | |

B. 🔊 14 Vamos a jugar. Tu cartón tiene que tener once casillas. Por eso, tienes que tachar cinco. Fíjate en el género: ¿dice doscient**os** o doscient**as**?

9. EN LA TIENDA /MÁS EJ. 21-23

A. Lee este diálogo en una farmacia y responde a las preguntas.

- **Farmacéutica:** Hola, buenos días.
- ○ **Cliente:** Buenos días.
- **Farmacéutica:** ¿Qué desea?
- ○ **Cliente:** Quería una crema solar de factor 50.
- **Farmacéutica:** Pues mire, aquí tiene varias.
- ○ **Cliente:** ¿Cuánto cuesta esta?
- **Farmacéutica:** Esta, 19,39 euros. Es muy buena. Pero estas dos son más baratas.
- ○ **Cliente:** ¿Cuánto cuestan?
- **Farmacéutica:** Esta, 14,49 euros. Y esta otra, 10,90.
- ○ **Cliente:** Vale, pues me llevo esta, la de 10,90.

1. ¿Qué quiere comprar?

¿Cómo lo dice?

2. ¿Pregunta precios?

¿Cómo lo dice?

3. ¿Compra algo?

¿Cómo lo dice?

B. Ahora completa estas preguntas con **cuesta** o **cuestan**.

1. ¿Cuánto .... estos zapatos?

2. Esta camiseta de aquí, ¿cuánto ....?

C. 🔊 15 🔊 **ALT|MX** Un chico va de compras con una amiga. Escucha y anota la información que falta.

1. Quiere comprar ....

2. Al final compra ....

que cuesta ....

> **En inmersión**
>
> Observa cómo hablan los españoles en distintas situaciones cotidianas. Anota algunos ejemplos. ¿Se usa más "tú" o "usted"? ¿Cómo es en tu país?

Léxico

COLORES /MÁS EJ. 12

- ○ blanco/a/os/as
- amarillo/a/os/as
- ● rojo/a/os/as
- ● negro/a/os/as
- ● naranja/s
- rosa/s
- ● lila/s
- verde/s
- ● azul/es
- ● gris/es
- ● marrón/ones
- beis

- • **¿De qué color es** el jersey?
- ○ *Amarillo.*

*Un**a** chaquet**a** roj**a**.*   **Un** *gorr**o** roj**o**.*
*Un**as** sandali**as** roj**as**.*   *Un**os** pantalon**es** roj**os**.*

NUMERALES

➕ P. 208

100	cien	1000	mil
101	**ciento** uno* / una	2000	dos mil
102	**ciento** dos	...	
...		10 000	diez mil
200	doscientos/as	20 000	veinte mil
300	trescientos/as	...	
400	cuatrocientos/as	100 000	cien mil
500	**quinientos**/as	200 000	doscientos/as mil
600	seiscientos/as	...	
700	**sete**cientos/as	1 000 000	un millón
800	ochocientos/as	2 000 000	dos millones
900	**nove**cientos/as	1 000 000 000	mil millones

* Delante de un sustantivo: ciento **un** euros.

3 453 276 = tres millones cuatrocientos/as cincuenta **y** tres mil doscientos/as setenta **y** seis.

LLEVAR / LLEVARSE /MÁS EJ. 24

*¿**Llevas** dinero? Necesito 10 euros.* (Tener algo consigo mismo).

*Hoy **llevo** un vestido rojo, pero normalmente **llevo** vaqueros porque son muy cómodos.* (Vestir o tener puesto algo).

*Me **llevo** este jersey rojo. Es más barato que el verde.* (Elegir un objeto entre varios).

COMBINACIONES CON EL VERBO IR

Ir de	compras	viaje	
Ir al	gimnasio	extranjero	mercado
Ir a la	playa	universidad	
Ir a	un hotel	un cámping	una tienda

ROPA Y ACCESORIOS

un jersey
un bolso
unos vaqueros
unas zapatillas deportivas
una camiseta
una pulsera
unos pantalones
unos zapatos
un vestido

un gorro
una bufanda
un abrigo
unas botas
una camisa
una falda
unas sandalias
unas gafas
una chaqueta
un cinturón

HABLAR DE ROPA

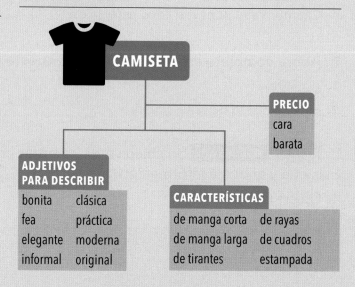

CAMISETA

PRECIO
cara
barata

ADJETIVOS PARA DESCRIBIR
bonita   clásica
fea   práctica
elegante   moderna
informal   original

CARACTERÍSTICAS
de manga corta   de rayas
de manga larga   de cuadros
de tirantes   estampada

DEMOSTRATIVOS P. 210-211

DEMOSTRATIVO + SUSTANTIVO	DEMOSTRATIVOS*	
este jersey	este	
esta camiseta	esta	esto
estos zapatos	estos	
estas sandalias	estas	

* Cuando sabemos a qué sustantivo nos referimos, podemos no mencionarlo.

- **Estas** botas, ¿cuánto cuestan?
- ○ 40 euros.
- ¿Y **estas**?
- **¡Este** jersey es precioso!
- ○ Pues yo prefiero **este**.

EL / LA / LOS / LAS + ADJETIVO Y
EL / LA / LOS / LAS DE + SUSTANTIVO P. 209-210

Cuando por el contexto sabemos a qué sustantivo nos referimos, podemos no mencionarlo.

¿Qué <u>coche</u> usamos: **el** nuevo o **el** viejo?

Luis quiere comprar la <u>camiseta</u> verde y Julia, **la** azul.

Los <u>zapatos</u> más caros son **los** negros.

Tenemos que llevar las <u>maletas</u> rojas y **las** negras.

¿Qué <u>camiseta</u> prefieres? Yo, **la de** tirantes.

el <u>coche</u> nuevo → **el** nuevo	los <u>zapatos</u> negros → **los** negros
la <u>camiseta</u> azul → **la** azul	las <u>maletas</u> negras → **las** negras
la <u>camiseta</u> de tirantes → **la de** tirantes	

QUÉ + SUSTANTIVO, CUÁL / CUÁLES /MÁS EJ. 17
 P. 219-220

Usamos **qué** + sustantivo para preguntar por un objeto (o una persona, un animal, un lugar…) entre varios del mismo tipo.

- **¿Qué falda** prefieres?
- ○ Esta, la azul.

Cuando ya sabemos a qué tipo de objeto nos referimos, podemos usar **cuál** y **cuáles** y no repetir el sustantivo.

En esta tienda hay muchas <u>camisas</u>. **¿Cuál** compro para mi hermana?

¿Qué <u>zapatos</u> compro? **¿Cuáles** crees que son más elegantes?

CUESTA / CUESTAN

¿Cuánto cues**ta** es<u>te</u> vesti<u>do</u>?

¿Cuánto cues**tan** es<u>tos</u> vesti<u>dos</u>?

EXPRESAR NECESIDAD: TENER QUE + INFINITIVO

	TENER	QUE + INFINITIVO
(yo)	**tengo**	
(tú)	tie**nes**	
(él / ella, usted)	tie**ne**	**que** + llevar
(nosotros / nosotras)	tenemos	
(vosotros / vosotras)	tenéis	
(ellos / ellas, ustedes)	tie**nen**	

Esta noche voy a una fiesta de cumpleaños. **Tengo que llevar** un regalo.

VERBOS IRREGULARES TERMINADOS EN -IR
 P. 224

	PREFERIR	IR
(yo)	prefi**e**ro	**voy**
(tú)	prefi**e**res	**vas**
(él / ella, usted)	prefi**e**re	**va**
(nosotros / nosotras)	preferimos	**vamos**
(vosotros / vosotras)	preferís	**vais**
(ellos / ellas, ustedes)	prefi**e**ren	**van**

COMPRAR EN TIENDAS

VENDEDORES/AS	CLIENTES/AS
Hola. / Buenos días. / Buenas tardes.	Hola. / Buenos días. / Buenas tardes.
¿Qué desea? / ¿Qué quería?	**Quería** unos zapatos (para hombre / para mujer). **¿Cuánto cuestan estos** (de aquí)?
x euros / libras / dólares.	**Son un poco caros, ¿no?** / **¿Tiene algo más barato?**
Sí, **tenemos estos**.	(Pues) **me llevo** los negros.
Muy bien. ¿(Desea) alguna cosa más?	**No, gracias**.
Pues (son) 45 euros, por favor.	**Aquí tiene**.
Muchas gracias.	**Gracias**.

10. ¿QUÉ ROPA PREFIERES?

A. En parejas, comentad qué ropa preferís para estas situaciones. En internet podéis buscar otras alternativas.

- para ir a un festival de música pop en verano
- para hacer un viaje largo en coche
- para ir a tu trabajo o lugar de estudios
- para ir de excursión a la montaña

- *¿Qué ropa prefieres para ir a un festival de música pop?*
- *Yo, estos vaqueros, las zapatillas deportivas y...*

B. Cada uno/a presenta sus opciones para una de las situaciones de A. ¿Hay coincidencias?

- *Yo, para ir a un festival de música pop, los vaqueros, las zapatillas deportivas y la camiseta gris. Y también una chaqueta...*

11. ¿CUÁNTO CUESTA? /MÁS EJ. 25

Busca en una tienda de tu entorno un producto que te gusta y que quieres comprar. Haz una foto y muéstrasela a otras personas de la clase, que tendrán que adivinar cuánto vale.

- *Quiero comprar esta maleta. ¿Cuánto creéis que cuesta?*
- *60 euros.*
- *Más.*
- *120.*
- *Menos.*

12. UNA SEMANA FUERA

A. Vais a pasar una semana en uno de estos dos lugares. En grupos, elegid el que más os guste.

B. Cada uno/a hace una lista de la ropa que quiere llevar y luego lo comenta con el grupo. ¿Lleváis lo mismo?

- *Yo llevo tres camisetas de manga larga y dos pantalones largos.*
- *Pues yo llevo tres pantalones. Creo que tienes que llevar más porque son seis días y...*

C. Pensad en otras cinco cosas que necesitáis y que tenéis que compartir. Haced una lista.

- *Yo creo que tenemos que llevar una guía de viaje de Granada y un...*

D. Ahora tenéis que decidir cómo vais a conseguir esas cosas. ¿Alguno/a de vosotros/as tiene alguna de ellas? ¿Las tenéis que comprar?

- *No tenemos guía, ¿verdad?*
- *No.*
- *Pues tenemos que comprar una.*

6 DÍAS 5 NOCHES · BUENAVISTA TOURS
HOTEL EN SIERRA NEVADA
ACTIVIDADES: PASEOS A CABALLO Y ESQUÍ

6 DÍAS 5 NOCHES · BUENAVISTA TOURS
APARTAMENTO EN SANTANDER
ACTIVIDADES: PASEOS POR EL CENTRO HISTÓRICO, RUTA GASTRONÓMICA Y SURF

13. ALT|DIGITAL CÓMO NOS VESTIMOS /MÁS EJ. 26

A. ¿Qué ropa llevan las siguientes personas en tu país? Comentadlo en grupos. Podéis mirar en internet si lo necesitáis.

- los / las policías
- los hombres / las mujeres de negocios
- los / las conductores/as de autobús
- los / las escolares de quince años
- los / las empleados/as de banco
- los / las camareros/as

- *Los policías llevan unas botas negras, unos pantalones azules, una camisa azul claro y una corbata.*

B. ¿Y tú qué llevas en las siguientes situaciones? Coméntalo con otras personas de la clase.

Para estar en casa   Para dormir   Para salir por la noche   Para ir a una boda

- *Yo, para estar en casa, llevo una camisa negra, unos pantalones negros muy cómodos y unos calcetines gruesos de colores.*
- *Pues yo en casa siempre llevo un pijama.*

14. ALT|DIGITAL EL MERCADILLO DE LA CLASE

A. Vais a preparar un mercadillo. Individualmente, seguid los pasos siguientes.

> **1.** Elige tres productos para vender (pueden ser de diferente tipo: ropa, accesorios, objetos de clase, etc.).
> **2.** Decide el precio para cada producto. Atención: el precio máximo es 50 euros.
> **3.** Coloca en la mesa tus productos.

B. Dividid la clase en compradores/as y vendedores/as. Los / Las compradores/as tienen que comprar dos cosas para regalar a otra persona (puede ser a alguien de la clase) y no pueden gastar más de 100 euros.

C. Ya podéis empezar a comprar. Luego, intercambiad los papeles: los / las compradores/as serán vendedores/as, y al revés.

D. Presenta tus compras y di para quién es cada producto.

• *Estas gafas de sol son para mi hermano. Cuestan 22 euros.*

15. MIS TIENDAS PREFERIDAS

ANTES DE VER EL VÍDEO

A. Vas a ver un vídeo en el que Diana nos muestra dos de sus tiendas favoritas en la calle Santa Ana de Madrid (España). Busca información sobre esa calle: ¿dónde está? ¿Qué tipo de tiendas hay?

VEMOS EL VÍDEO

B. ▶ 6 Ve el vídeo y marca en la tabla qué información relacionas con cada tienda.

	Closet Club	Santa y Señora
1. Hay ropa de hombre y prendas para ocasiones especiales.		
2. Hay ropa sostenible, hecha con materiales reciclados.		
3. Hay vaqueros muy baratos de marcas conocidas.		
4. Hay diseños exclusivos de una diseñadora de moda.		

C. Describe tres prendas de ropa que enseña Diana en el vídeo.

DESPUÉS DE VER EL VÍDEO

D. En clase, comentad cuál de las dos tiendas y cuál de las prendas que enseña Diana preferís.

E. Presenta en clase tu tienda preferida del lugar donde vives. Si lo prefieres, puedes hacer un vídeo como el de Diana.

5 / TUS AMIGOS SON MIS AMIGOS

MIS FOTOS

Con mis amigas en Islandia.

Con mi novio.

Con mi padre.

Con mi hermana y mi prima el día de su boda.

EN ESTA UNIDAD VAMOS A	RECURSOS COMUNICATIVOS	RECURSOS GRAMATICALES	RECURSOS LÉXICOS
PRESENTAR Y A DESCRIBIR A UNA PERSONA	• hablar del aspecto y del carácter • expresar y contrastar gustos e intereses • preguntar sobre gustos • hablar de relaciones personales	• el verbo **gustar** • los cuantificadores (**muy**, **bastante**, **un poco**) • los posesivos • **también** / **tampoco** • acentos diacríticos	• la familia • adjetivos de carácter • música

Olivia Pons

+ Seguir

Con mi hermana y mis sobrinos.

Con mis compañeros de trabajo en un seminario.

Empezar

1. LAS FOTOS DE OLIVIA

A. Mira las fotos de Olivia. ¿Qué crees que significan estas palabras?

- amigas
- sobrinos
- hermana
- prima
- padre
- novio
- compañeros de trabajo

B. ¿Cómo se llama tu mejor amigo o amiga? ¿Y las personas de tu familia? ¿Tienes alguna foto para enseñar a la clase?

> • *Esta es Beate, mi mejor amiga...*

➕ **Para comunicar**

→ Este es David, mi mejor amigo / mi hermano / mi padre.

→ Esta es Emma, mi mejor amiga / mi hermana / mi madre.

→ Estos son Josef y Angela, mis mejores amigos / mis hermanos / mis padres.

→ Estas son Catherine y Uma, mis mejores amigas / mis hermanas.

Comprender

2. ALT|DIGITAL ¿QUIÉN ES? /MÁS EJ. 1

A. Una revista sortea entradas para un concierto entre las personas que completen correctamente esta ficha sobre Jorge Drexler. Hacedlo en parejas.

músico   Lucero   San Francisco y Cádiz   el surf   El Cisne Azul (Madrid)

1964   Chico Buarque y Caetano Veloso   Montevideo   Prada   Felisberto Hernández

3 (Pablo, Luca y Leah)   La luz que sabe robar

¿CUÁNTO SABES SOBRE...?
Jorge Drexler

Lugar de nacimiento:

Año de nacimiento:

Segundo apellido: Nombre de su madre:

Hijos:

Profesión: Título de su primer álbum:

Músicos favoritos:

Deporte favorito:

Ciudades preferidas:

Escritor favorito:

Restaurante favorito:

- *Músico es su profesión, ¿no?*
- *Sí, ¿y Lucero?*

CÁPSULA DE FONÉTICA 5

La entonación en las preguntas

B. Dibuja una estrella y escribe cinco datos sobre ti. Otra persona de la clase tiene que adivinar qué son. Atención: solo puedes responder sí o no.

- *¿Berlín es tu ciudad preferida?*
- *No.*
- *¿Tu lugar de nacimiento?*
- *Sí.*

C. Ahora cuenta al resto de la clase una información interesante sobre tu compañero/a.

- *La ciudad preferida de Anja es Londres.*

Berlín
3
Beate
Tolkien
Londres

3. CONTACTOS /MÁS EJ. 2-6

A. ≣ MAP Lee los mensajes de tres chicas en una web de intercambio de idiomas y fíjate en las fotografías. Luego, escribe el nombre correspondiente a cada mensaje.

Nombre: _____
Lengua materna: **español**
Quiero practicar: **inglés, francés y ruso**

¡Hola! Soy cubana. Tengo 41 años, soy periodista y me encanta aprender idiomas. Estudio inglés, francés y ruso. También me gusta cocinar, viajar y estar con mis amigos y amigas, pero mi gran pasión es la fotografía. ¡Un abrazo!

Nombre: _____
Lengua materna: **español**
Quiero practicar: **portugués y chino**

Hola, amigos y amigas. Soy mexicana y tengo 32 años. Estudio portugués y chino. Me gusta mucho leer, escribir y viajar, y me encantan el mar y todos los deportes. También me gusta salir de noche. Espero sus mensajes.

Nombre: _____
Lengua materna: **español**
Quiero practicar: **inglés y alemán**

¡Hola desde Bilbao! Tengo 35 años. Estudio inglés y alemán. Me gusta leer revistas de moda, pasear, ir al cine y sobre todo escuchar música. Mi grupo favorito es Calle 13. ¿Quieres conocerme? ¡Hasta pronto!

Amaia

Tania

María

B. ▶7 Ve los videomensajes de las tres chicas y anota qué más dicen sobre sus gustos y aficiones.

C. ▶7 Vuelve a ver los vídeos e indica quién dice cada frase: Tania (T), María (M) o Amaia (A).

1. Soy muy extrovertida y aventurera. ☐

2. Soy muy divertida y habladora. ☐

3. Soy una chica normal y bastante sociable. ☐

4. Soy bastante activa. ☐

5. Soy muy abierta. ☐

6. Al principio soy un poco tímida. ☐

D. ¿Con cuál de las tres chicas te gustaría hacer un intercambio? Coméntalo con tus compañeros/as.

- *A mí, con María, porque* parece *muy simpática y, además,* le gusta el kitesurf.

Construimos el
LÉXICO

Escribe en una tabla tus aficiones y tus cosas favoritas.

Mis aficiones	Mis cosas favoritas
– ver películas	– plato: pasta
– ...	– ...

4. TIEMPO LIBRE /MÁS EJ. 7, 8

A. `ALT` `MAP` Cuatro personas hablan de sus gustos musicales. Marca en los textos la información con la que coincides y coméntalo con otras personas de la clase.

Guillermo
24 años (Bogotá)

¿Qué tipo de música escuchas normalmente? Escucho mucho pop latino y reguetón. Y también vallenato.
¿Escuchas siempre música en español? No, también me gusta escuchar pop-rock en inglés.
¿Tus artistas favoritos? Me encantan Becky G, J Balvin y Rosalía.

Anabel
32 años (Barcelona)

¿Qué tipo de música escuchas normalmente? Me gustan muchos tipos de música, pero últimamente escucho mucha música electrónica.
¿Dónde escuchas música? En todas partes: en el coche, en casa, en el trabajo.
¿Tu cantante o grupo favorito? Calvin Harris, Dua Lipa...

Mónica
25 años (Madrid)

¿Qué tipo de música escuchas normalmente? Escucho mucha música independiente y mucha música electrónica también...
¿Dónde escuchas música? En casa, pero también me encanta ir a conciertos.
¿Tu cantante o grupo favorito? Me gustan mucho Dënver, Caloncho, La vida Bohème... y James Blake.

Diego
40 años (Buenos Aires)

¿Qué tipo de música escuchas normalmente? Música clásica y jazz. ¡Me encanta el jazz!
¿Dónde escuchas música? En casa. A mi mujer también le gusta la música y en casa tenemos muchos vinilos.
¿Y os gusta el mismo tipo de música? Ella prefiere la música soul, a mí me gustan más el jazz y la música clásica.

- Yo *también* escucho pop latino.
- *A mí también* me gusta la música soul.

En inmersión

¿Qué música oyes en los bares y otros lugares públicos en España? ¿Hay mucha música en español? ¿Y en otras lenguas?

B. Busca las frases en las que aparecen los verbos **gusta / gustan** y **encanta / encantan**. ¿Entiendes la diferencia entre las dos formas? Marca en la tabla cómo se usan.

	GUSTA	GUSTAN	ENCANTA	ENCANTAN
Con un sustantivo en singular o con un verbo en infinitivo.				
Con un sustantivo en plural o con varios sustantivos.				

C. Estos verbos van siempre con una serie de pronombres personales. Búscalos en los textos y completa este cuadro con las formas correspondientes.

(A mí)		gusta/n encanta/n
(A ti)	te	
(A él / ella / usted)		

(A nosotros / nosotras)	nos	gusta/n encanta/n
(A vosotros / vosotras)		
(A ellos / ellas / ustedes)	les	

5. ¿A TI TAMBIÉN? /MÁS EJ. 11-12

A. Observa las viñetas. ¿Entiendes las expresiones destacadas?

B. 🔊 16 🔊 ALT|CU Escucha a una persona que habla de sus gustos. ¿Coincides con ella? Escribe tus reacciones.

6. LA MÚSICA Y YO /MÁS EJ. 9, 10

A. ¿Te gustan estas cosas? Coméntalo con otra persona de la clase.

* cantar
* la música electrónica
* ir a festivales de música
* escuchar música con el móvil
* los conciertos de música clásica
* las canciones de Lady Gaga
* escuchar música en la radio
* ir a karaokes
* los bares con música en vivo
* los vinilos
* ir a conciertos

➕ **Para comunicar**

+ me encanta/n
  me gusta/n mucho
  me gusta/n bastante
  no me gusta/n mucho
− no me gusta/n nada

* *No me gusta mucho ir a festivales. Hay mucha gente. ¿Y a ti?*
* *A mí sí, me encanta.*

B. ¿Coincidís en algo? ¿En qué no coincidís? Cuéntalo en clase.

* *A mí no me gusta ir a festivales, pero a Noah sí. A los dos nos encantan los bares con música en vivo.*

En inmersión

¿Te gusta la música española? Comparte tus opiniones con otras personas de la clase. ¿Coinciden vuestros gustos?

7. LA FAMILIA DE PACO Y DE LUCÍA /MÁS EJ. 13-16

A. Observa el árbol genealógico de una familia española, lee las frases y escribe las relaciones que faltan.

- Paco es el **marido** de Lucía.
- Lucía es la **abuela** de Carla y de Daniel.
- Carla es la **hija** de Abel y de Luisa.
- Daniel es el **nieto** de Paco y de Lucía.
- Marta es la **hermana** de Abel.
- Paco es el **padre** de Marta y de Abel.
- Marta es la **tía** de Carla.
- Daniel es el **primo** de Carla.

B. Traduce a tu lengua las palabras en negrita. ¿Qué diferencias con el español observas?

- **Mis padres** (mi padre y mi madre)
- **Mis hijos** (un chico y dos chicas)
- **Mis hijos** (dos chicos)
- **Mis hermanos** (un chico y una chica)
- **Mis hermanos** (dos chicos)
- **Mi tío** (el hermano de mi padre)
- **Mi tío** (el hermano de mi madre)

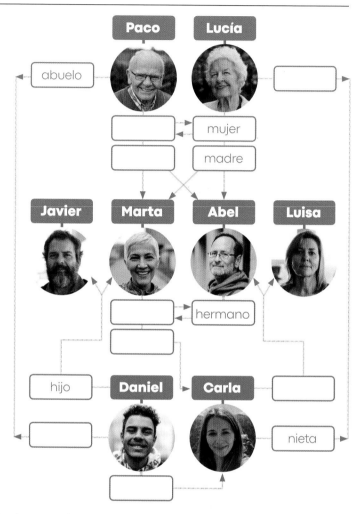

C. En parejas, leed las tarjetas y dibujad el árbol genealógico de esta familia.

Margarita Vidal Méndez
Tiene 69 años.
Es viuda. Tiene dos hijas
y un hijo.

Ana Martín Vidal
Tiene 45 años.
Es ingeniera. Está casada.
No tiene hijos, pero es tía.

Ignacio Álvarez Guzmán
Tiene 41 años.
Está casado y tiene
una hija.

Carlos Martín Ariza
Tiene 20 años.
Es soltero.
Es hijo único.

Gabriela Álvarez Martín
Tiene 17 años.
Tiene un primo.
Es hija única.

Leonor Martín Vidal
Tiene 38 años.
Está casada.
Es la tía de Carlos.

Jorge Martín Vidal
Tiene 47 años.
Está divorciado. Tiene dos
hermanas. Tiene un hijo.

Karina Bolívar Hernández
Tiene 49 años.
Es médica y está casada
con una ingeniera.

Diana Ariza Fisher
Tiene 40 años.
Es enfermera. Tiene un hijo
con su exmarido.

- *Margarita es la madre de Ana, ¿no?*

8. DE VACACIONES CON MI FAMILIA

A. Lee la conversación de Tere y Elena, y responde a estas preguntas.

- ¿Qué vacaciones te parecen más interesantes: las de Tere o las de Elena? ¿Por qué?
- ¿Y a ti? ¿Te gusta más ir de vacaciones con tus amigos/as o con tu familia? ¿Por qué?

B. Fíjate en las palabras marcadas en negrita en el chat y completa las tablas.

	SINGULAR	PLURAL
1.ª persona del singular (yo)	.... hijo **mi** hija	**mis** hermanos .... hermanas

	SINGULAR	PLURAL
2.ª persona del singular (tú)	.... marido **tu** mujer	.... hijos **tus** hijas

	SINGULAR	PLURAL
3.ª persona del singular (él / ella, usted)	.... primo **su** prima	.... abuelos **sus** abuelas

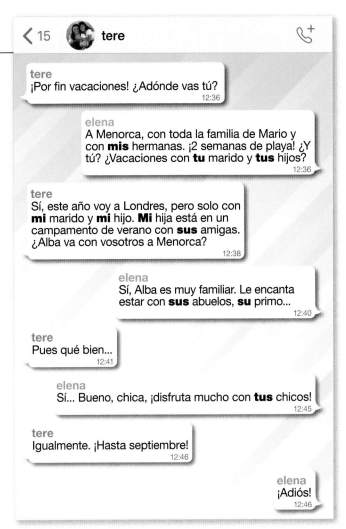

〈 15 👥 **tere** 📞⁺

tere
¡Por fin vacaciones! ¿Adónde vas tú?
12:36

elena
A Menorca, con toda la familia de Mario y con **mis** hermanas. ¡2 semanas de playa! ¿Y tú? ¿Vacaciones con **tu** marido y **tus** hijos?
12:36

tere
Sí, este año voy a Londres, pero solo con **mi** marido y **mi** hijo. **Mi** hija está en un campamento de verano con **sus** amigas. ¿Alba va con vosotros a Menorca?
12:38

elena
Sí, Alba es muy familiar. Le encanta estar con **sus** abuelos, **su** primo...
12:40

tere
Pues qué bien...
12:41

elena
Sí... Bueno, chica, ¡disfruta mucho con **tus** chicos!
12:45

tere
Igualmente. ¡Hasta septiembre!
12:46

elena
¡Adiós!
12:46

9. `ALT|DIGITAL` ES RUBIA Y TIENE EL PELO LARGO /MÁS EJ. 19-20

A. Mira la imagen de estos actores y actrices de la serie española *La casa de papel* y di a quién corresponde cada descripción.

- Es alta, rubia y tiene el pelo largo.
- Es bajito, moreno y tiene el pelo rizado.
- Es morena y tiene el pelo corto.
- Es alto, castaño y tiene bigote.
- Tiene barba.

B. Busca una fotografía de un grupo de personas (actores / actrices, un grupo de música, etc.): etiquétalos y descríbelos como en A.

Léxico

ASPECTO FÍSICO

Es → un chico/a, un hombre, una mujer, una persona → muy, bastante, un poco* → guapo/a ≠ feo/a, alto/a ≠ bajo/a, delgado/a ≠ gordo/a, normal, moreno/a, rubio/a, castaño/a, calvo/a

* **Un poco** se usa solo con adjetivos que presentamos como negativos.

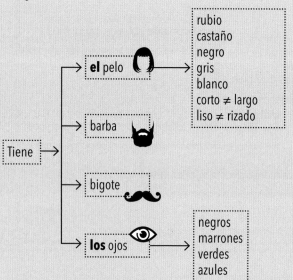

Tiene → **el** pelo → rubio, castaño, negro, gris, blanco, corto ≠ largo, liso ≠ rizado

Tiene → barba

Tiene → bigote

Tiene → **los** ojos → negros, marrones, verdes, azules

⚠ No decimos *Tiene su pelo rubio*; decimos *Tiene el pelo rubio*.

LA FAMILIA

Paco y Lucía son **los padres de** Marta y **de** Abel.
(Madre + padre = **padres**).

Marta y Abel son **los hijos de** Paco y **de** Lucía.
(Hijo + hija = hijos).

Paco y Lucía son **los abuelos de** Daniel y **de** Carla.
(Abuelo + abuela = abuelos).

Marta y Abel son **hermanos**.
(Hermano + hermana = hermanos).

Para personas divorciadas se usa **exmarido** y **exmujer**.
Para personas con las que tenemos una relación sentimental se usa **novio/a**, **compañero/a** o **pareja**.

CARÁCTER

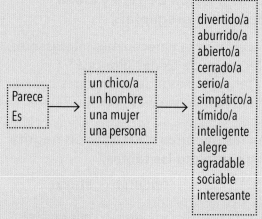

Parece, Es → un chico/a, un hombre, una mujer, una persona → divertido/a, aburrido/a, abierto/a, cerrado/a, serio/a, simpático/a, tímido/a, inteligente, alegre, agradable, sociable, interesante

- ¿Qué tal la nueva profesora?
- Bien, **parece bastante** interesante.

LA MÚSICA

PROFESIONES
músico/a
cantante
bailarín/a
compositor/a

ACTIVIDADES
escuchar música
bailar
ir a conciertos
ir a festivales
escuchar música en vivo
tocar un instrumento
ir a karaokes

LA MÚSICA

TIPOS DE MÚSICA
pop
rock
salsa
música electrónica
música clásica
jazz
flamenco

OTROS
grupo de música

Gramática y comunicación

GUSTOS E INTERESES ⊕ P. 215, P. 217-218, P. 222-223

EL VERBO GUSTAR

(A mí)	**me**		
(A ti)	**te**		el cine.
(A él / ella / usted)	**le**	gusta	(NOMBRES EN SINGULAR). ir al cine. (VERBOS).
(A nosotros / nosotras)	**nos**		
(A vosotros / vosotras)	**os**		la**s** película**s** de
(A ellos / ellas / ustedes)	**les**	gusta**n**	acción. (NOMBRES EN PLURAL).

❗ No usamos **encanta/n** con cuantificadores (~~Me encanta mucho~~).

(A mí) **me encanta** (A mí) **me gusta mucho** (A mí) **me gusta bastante**	el flamenco (y también el rock).
(A mí) **no me gusta mucho** (A mí) **no me gusta** (A mí) **no me gusta nada**	el flamenco (ni tampoco el rock*).

*** Y + no = ni**: **No** me gusta el fútbol **ni** (tampoco) el tenis.

❗ No decimos ~~Me gusta cine~~, el artículo es necesario: Me gusta **el** cine.

PREGUNTAR SOBRE GUSTOS

- ● ¿**Te gusta** el jazz?
- ○ Pues no, no mucho.

- ● ¿**Qué** (**tipo de**) música **te gusta** (**más**)?
- ○ La música electrónica.

- ● ¿**Cuál** es tu color **favorito / preferido**?
- ○ El verde.

CONTRASTAR GUSTOS

- 😊 ● Me encanta el golf.
- 😊 ○ **A mí también.**
- ☹️ ● **A mí no.**

- 😟 ● No me gusta nada el golf.
- 😟 ○ **A mí tampoco.**
- 😊 ● **A mí sí.**

A mí me gusta ir al cine, pero **a ella le** encanta ir de excursión. Voy mucho al cine con mi marido. **A los dos nos** encanta.

LOS POSESIVOS /MÁS EJ. 17, 18 ⊕ P. 212

Los posesivos se utilizan para identificar algo o a alguien relacionándolo con una persona. La relación puede ser de parentesco (**mi** hermana), social (**mis** amigos, **mi** jefa), de posesión (**mi** libro) o de otro tipo (**mi** autobús, **mi** calle).

	SINGULAR	PLURAL
1.ª persona (yo)	**mi** padre **mi** madre	**mis** hermanos **mis** hermanas
2.ª persona (tú)	**tu** padre **tu** madre	**tus** hermanos **tus** hermanas
3.ª persona (él / ella, usted)	**su** padre **su** madre	**sus** hermanos **sus** hermanas

❗ En español, los adjetivos posesivos concuerdan con lo poseído y **no** con la persona que posee:
   Sara vive con **su padre**.
Sara vive con **sus padres**.

Los adjetivos posesivos no pueden ir acompañados de un artículo (~~el mi primo, la tu madre~~):
mi amigo Luis   **mi** amiga Carla

ACENTOS DIACRÍTICOS /MÁS EJ. 21 ⊕ P. 206-207

Algunas palabras llevan acento gráfico para diferenciarse de otras que se escriben igual.

mi (posesivo): *Mi* madre.	**mí** (pronombre personal): A *mí* me gusta.
tu (posesivo): *Tu* madre.	**tú** (pronombre personal): ¿*Tú* te llamas Marcelo?
te (pronombre): ¿*Te* gusta?	**té** (sustantivo): ¿Quieres *té* o café?
el (artículo): *El* hijo de Juan.	**él** (pronombre personal): *Él* es de Bélgica.
que (conjunción): ¿Este es el cantante *que* te gusta?	**qué** (pronombre interrogativo): ¿*Qué* quieres?
como (conjunción): Mi padre es alto y rubio *como* yo.	**cómo** (pronombre interrogativo): ¿*Cómo* eres?
por qué (en las preguntas): ¿*Por qué* estudias español?	**porque** (en las respuestas): Estudio español *porque* quiero hablar con mi cuñado.

10. ALT|DIGITAL ¿TIENES HERMANOS?

A. Dibuja el árbol genealógico de otra persona de la clase. Para ello, hazle preguntas sobre su familia.

- ¿Tienes hermanos?
- Sí. Tengo dos hermanos: un hermano y una hermana. Mi hermana se llama Sara...

B. Ahora tu compañero/a te cuenta algo de cada persona de su familia. Anótalo en el árbol.

- Mi hermana Sara toca el violín.

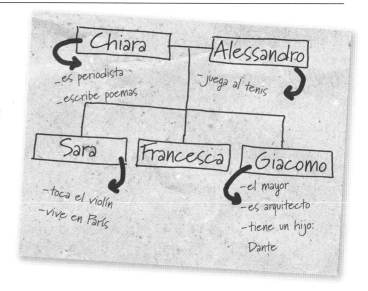

11. ALT|DIGITAL NUESTROS GUSTOS MUSICALES

A. Vais a hacer un reportaje con entrevistas sobre vuestros gustos y hábitos musicales. Entre todos/as, pensad preguntas y escribidlas en la pizarra.

- ¿Cuál es tu canción preferida?
- ¿Cuál es tu grupo preferido?
- ¿Qué música te gusta para bailar?
- ...

B. Ahora, cada uno/a escoge cinco preguntas, las escribe y las contesta.

C. En grupos, revisad vuestros textos y preparad el reportaje con todas las entrevistas.

D. Leed las entrevistas de las demás personas y, si queréis, escuchad la música que les gusta. ¿Con quién coincidís en más cosas? ¿En qué?

12. ES UNA MUJER DE UNOS 30 AÑOS

A. 🔊 17 Escucha a tres estudiantes que juegan a adivinar personajes y di a cuáles de los siguientes personajes describen.

Guillermo del Toro   **Lionel Messi**   **Sílvia Pérez Cruz**   **Daniela Vega**

Marc Márquez   **Maluma**   **Mireia Belmonte**   **Gustavo Dudamel**

B. En grupos, cada uno/a describe a un personaje famoso (real o de ficción). Los / las demás tienen que adivinar quién es.

- *Es una chica de unos 25 años, morena, con el pelo largo. Es brasileña y es cantante.*
- *¿Anitta?*
- *¡Sí!*

➕ **Para comunicar**

→ un niño   → un hombre / señor
→ una niña   → una mujer / señora
→ un chico   → un señor mayor
→ una chica   → una señora mayor

→ Tiene 20 años.
→ Tiene unos 40 años. = Tiene aproximadamente 40 años.

13. ALT DIGITAL SOY UNA PERSONA BASTANTE TÍMIDA

A. ¿Cómo eres? Escribe una descripción de ti en una hoja suelta.

B. Tu profesor/a recoge las hojas y las reparte. Cada estudiante debe adivinar de quién es la descripción que tiene. Comentadlo en grupos.

- *Yo creo que este es Nils porque dice que es muy hablador y le gusta mucho el flamenco.*

➕ **Para comunicar**

→ Creo que soy una persona muy / bastante / un poco... y muy / bastante / un poco...
→ En mi tiempo libre me encanta...
→ Otras cosas que me gusta hacer son... y...
→ No me gusta/n nada... ni...
→ Mi color / deporte... favorito es el...
→ Mi comida / música... favorita es el / la...
→ Mis libros / actores... preferidos son...
→ Mis películas / ciudades... preferidas son...

14. **ALT|DIGITAL** YO QUIERO CONOCER AL HERMANO DE FLAVIA /MÁS EJ. 22-23

A. Imagina que puedes invitar a clase a una persona que conoces (alguien de tu familia, un amigo o una amiga, etc.). Prepara una descripción con los datos de la siguiente ficha.

- Persona elegida
- Relación conmigo
- Nacionalidad
- Profesión
- Edad
- Aspecto físico
- Carácter
- Gustos y aficiones

B. Presenta ahora a esa persona al resto de la clase. Tus compañeros/as tienen que escuchar para elegir a la persona que quieren conocer. También te pueden hacer preguntas.

- *Mi invitado se llama Pedro, es mi hermano y vive en Río de Janeiro, como yo. Tiene 29 años y es informático. Es un chico muy simpático y muy divertido: le gusta mucho bailar y conocer a gente nueva. Es brasileño, como yo, claro. Y es muy deportista: juega al fútbol y...*

- *¿Le gusta ir a la playa?*

C. Ahora cada estudiante debe decidir a qué invitado/a quiere conocer y explicar por qué.

- *Yo quiero conocer al hermano de Flavia, Pedro, porque parece un chico muy divertido y activo. Además, a mí también me gusta bailar...*

Gabriela, 40 años | Lucía, 27 años | Laura, 22 años | Mariano, 34 años

15. ¿QUÉ DICE DE TI LA MÚSICA QUE ESCUCHAS?

ANTES DE VER EL VÍDEO

A. ¿Crees que se puede saber cómo es una persona (su edad, su carácter, etc.) por las canciones que escucha? Comentadlo en clase.

VEMOS EL VÍDEO

B. ▶8 Ve el vídeo hasta el minuto 00:44. ¿Qué información cree Lucía que se puede saber de una persona por la música que escucha?

C. ▶8 Ve el resto del vídeo y marca qué datos aciertan los / las participantes sobre Mariano, Laura, Lucía y Gabriela.

Mariano	☐ hombre	☐ 34 años	☐ tímido	☐ amable	☐ tranquilo
Laura	☐ mujer	☐ 22 años	☐ calmada	☐ sociable	☐ inteligente
Lucía	☐ mujer	☐ 27 años	☐ romántica	☐ extrovertida	☐ seria
Gabriela	☐ mujer	☐ 40 años	☐ apasionada	☐ sensible	☐ simpática

DESPUÉS DE VER EL VÍDEO

D. ¿Coincides con alguna de las personas del vídeo en los gustos musicales? ¿Y en el carácter?

E. Haced el mismo juego en clase. Cada uno/a escribe en un papel tres canciones que le gustan. Luego, escucha las canciones preferidas de otra persona (sin saber quién es) e intenta describirla.

DÍA A DÍA

¿Cuáles son tus momentos preferidos de la semana?

1

2

4

EN ESTA UNIDAD VAMOS A

CONOCER LOS HÁBITOS DE LAS PERSONAS DE LA CLASE Y DAR PREMIOS

RECURSOS COMUNICATIVOS

- hablar de hábitos
- expresar frecuencia
- preguntar y decir la hora

RECURSOS GRAMATICALES

- el presente de indicativo de algunos verbos irregulares
- los verbos pronominales
- **yo también / yo tampoco / yo sí / yo no**
- **primero / después / luego**

RECURSOS LÉXICOS

- los días de la semana
- las partes del día
- actividades diarias

👍 Lidia

Los lunes y los miércoles a la hora de cenar, porque estoy con mis hijas.

👍 Elena

Los domingos por la mañana, cuando paseo con mi perro.

👍 Blanca

Todas las mañanas cuando me levanto; hago media hora de yoga y me encanta.

3

👍 Sergio

Los jueves por la noche, porque toco con mi grupo de música.

👍 Adela

Los fines de semana, porque voy a la montaña con mis amigos.

5

Empezar

1. LOS JUEVES POR LA NOCHE

/MÁS EJ. 1

A. Un blog pregunta a sus lectores/as cuál es su momento preferido de la semana. Relaciona lo que dicen con las fotografías.

Lidia ☐

Elena ☐

Blanca ☐

Sergio ☐

Adela ☐

B. ¿Hacéis algunas de esas actividades?

- *Yo también hago yoga los lunes y los miércoles por la noche.*

➕ **Para comunicar**

- → los lunes
- → los martes
- → los miércoles
- → los jueves
- → los viernes
- → los sábados
- → los domingos
- → el fin de semana

- → por la mañana
- → al mediodía
- → por la tarde
- → por la noche

Comprender

2. ¿TE LEVANTAS DE BUEN HUMOR? /MÁS EJ. 2

A. [≡ MAP] ¿En qué momento del día estás más despierto/a y tienes más energía?
Haz este test.

TEST

¿DE DÍA o DE NOCHE?

Todos conocemos a personas que son más activas y están en plena forma por la mañana; y
también a personas que viven más por la noche... ¿Y tú? ¿Cómo eres?

1. ¿Te levantas de buen humor?

- **A** Sí, casi siempre.
- **B** A menudo.
- **C** Casi nunca.

2. ¿Cuánto tiempo dedicas a desayunar?

- **A** Normalmente, media hora.
- **B** Cinco o diez minutos.
- **C** No desayuno nunca.

3. Si tienes que estudiar, ¿qué prefieres?

- **A** Levantarme muy temprano.
- **B** Estudiar durante el día.
- **C** Estudiar por la noche.

4. Tu jornada laboral es de seis horas. Elige tu horario ideal:

- **A** De 6 a 12 h.
- **B** De 10 a 16 h.
- **C** De 14 a 20 h.

5. ¿A qué hora te sientes más productivo/a?

- **A** Temprano por la mañana.
- **B** Durante el día.
- **C** Por la noche.

6. ¿En qué momento del día prefieres hacer deporte?

- **A** A primera hora de la mañana.
- **B** Por la tarde.
- **C** Por la tarde-noche.

7. Normalmente a las 23 h te sientes...

- **A** muy cansado/a y con mucho sueño.
- **B** cansado/a, pero todavía tienes energía para leer o ver la televisión un rato.
- **C** con mucha energía.

8. ¿Con qué frecuencia sales a tomar algo o a bailar?

- **A** A veces, en ocasiones especiales.
- **B** Dos o tres veces al mes.
- **C** Todos los fines de semana y, a veces, entre semana.

9. ¿Con qué frecuencia haces planes después de clase o del trabajo?

- **A** Casi nunca.
- **B** Una vez a la semana. A veces, dos.
- **C** Casi todos los días.

10. Cuando no tienes compromisos al día siguiente, ¿a qué hora te acuestas?

- **A** A la hora de siempre.
- **B** Un poco más tarde de lo habitual.
- **C** Nunca antes de la 1 o las 2 h.

Resultados ☼ ◐ ☾

MAYORÍA DE RESPUESTAS:

- **A** Eres una persona que prefiere el día. Te acuestas temprano y, para ti, no es un problema madrugar. Tienes más energía por la mañana.
- **B** Te adaptas bien a diferentes horarios. No tienes una clara preferencia por la mañana o por la tarde.
- **C** Tienes energía por la noche. Te gusta acostarte tarde y odias levantarte temprano. Para ti es muy difícil madrugar.

B. En pequeños grupos, comparad vuestros resultados. ¿Estáis de acuerdo?

3. ALT|DIGITAL ES UNA PERSONA MUY SANA /MÁS EJ. 3, 26

A. En parejas. ¿Qué es para vosotros/as una persona...

sana?   fiestera?   intelectual?   casera?

- *Una persona sana hace mucho deporte y cuida su alimentación.*
- *Sí, y no fuma, no bebe...*

B. 🔊))) 18-19 Escucha a unas personas que hablan de Berta y de Natalia. Escribe cómo son y por qué.

BERTA RODRIGO

Tiene 38 años. Es taxista.
Dicen que es ....
¿Por qué? ....
....
....

NATALIA APARICIO

Tiene 20 años. Es estudiante.
Dicen que es ....
¿Por qué? ....
....
....

C. ¿Cómo eres tú? Coméntalo con otras personas de la clase.

➕ **Para comunicar**

→ Mi familia cree que soy... porque...
→ Mis amigos/as creen que soy... porque...
→ Mis compañeros/as de trabajo dicen que soy... porque...
→ Mi pareja dice que soy... porque...

En inmersión

Pregunta en tu entorno si es frecuente que en España los estudiantes estudien y trabajen a la vez.

Construimos el

Piensa en personas que conoces. ¿Cómo es su carácter? ¿Por qué lo crees? ¿Qué hacen?

Nombre	Carácter	Cosas que hace
Fabio	casero	cocinar, ver series...

Explorar y reflexionar

4. ¿QUÉ HORA ES? /MÁS EJ. 4

A. Observa cómo se dice la hora en español y compáralo con cómo se dice en tu lengua.

Son las doce **y** veinticinco.

Son las tres **y** veintiséis.

Es la una **menos** nueve.

Son las ocho **menos cuarto**.

Son las doce **y cuarto**.

Son las tres **y media**.

B. Escribe en tu cuaderno estas horas.

1. 12:30   **3.** 20:55   **5.** 19:45
2. 18:20   **4.** 17:15   **6.** 15:25

C. 🔊 20 Escucha la grabación y anota en qué orden oyes las horas del apartado anterior.

D. 🔊 20 Vuelve a escuchar y escribe en tu cuaderno las diferentes maneras depreguntar la hora.

En inmersión

¿Hay relojes emblemáticos (en plazas, en estaciones, etc.) en el lugar de España donde vives? Haz fotografías y muéstralas en clase.

5. ¿A QUÉ HORA ES EL CONCIERTO? /MÁS EJ. 5

A. Observa las viñetas y lee el diálogo. ¿Entiendes por qué tienen que irse inmediatamente?

En inmersión

Investiga a qué hora empiezan los conciertos y otros eventos (películas, obras de teatro, partidos, etc.) de esta semana en el lugar donde vives.

B. Completa la regla.

1. La pregunta **¿Qué hora es?** sirve para...	**a.** saber cuándo empieza u ocurre algo.
2. La pregunta **¿A qué hora...?** sirve para...	**b.** saber la hora.

6. UN DÍA NORMAL /MÁS EJ. 6-8

A. ¿Cómo es un día normal para un/a profesor/a de enseñanza primaria en tu país? ¿A qué horas crees que hace estas cosas? Coméntalo con otras personas de la clase.

Se levanta a las...   Empieza a trabajar a las...   Come a las...

Sale del trabajo a las...   Cena a las...   Se acuesta a las...

- *Yo creo que en Alemania un profesor se levanta a las ocho y media.*
- *¿Sí? Yo creo que a las siete...*

B. 🔊 21 🔊 ALT|CO Una profesora española cuenta cómo es un día normal para ella. Toma notas y luego compara su horario con el de un/a profesor/a de tu país.

En inmersión

¿Cuáles son los horarios típicos de otros profesionales en España (vendedor/a, enfermero/a, etc.)? Investiga en tu entorno.

C. Los verbos pronominales (como **levantarse**) se construyen con los pronombres **me / te / se / nos / os / se**. ¿Qué otro verbo pronominal aparece en el apartado A?

7. SIEMPRE HAGO LA CAMA DESPUÉS DE DESAYUNAR /MÁS EJ. 10, 11

A. Lee lo que dicen estas personas sobre sus hábitos. ¿Tú haces lo mismo? Reacciona por escrito.

Eva: Me lavo los dientes antes y después de comer.

Martín: Me ducho siempre antes de acostarme.

Leo: Nunca veo la televisión después de cenar.

Fernanda: Por las mañanas, primero me ducho, después desayuno y luego hago la cama.

➕ **Para comunicar**

- Yo siempre me lavo los dientes después de comer.
- Yo también.
- Yo no.

- No voy nunca al gimnasio antes de trabajar.
- Yo tampoco.
- Yo sí.

B. Compara las siguientes estructuras con las que se usan en tu lengua.

EN ESPAÑOL

antes de + infinitivo:
antes de comer

después de + infinitivo:
después de comer

EN MI LENGUA

avant de + infinitif : avant de manger

après + infinitif passé : après avoir mangé

CÁPSULA DE FONÉTICA 6

Entonación: narración y enumeraciones

C. ¿Hay actividades que siempre haces en el mismo orden? Escribe frases como las de A para hablar de tus costumbres. Luego, coméntalo con otras personas de la clase.

8. UN DÍA ESPECIAL /MÁS EJ. 9

A. `ALT` `MAP` Dos personas hablan de un día del año especial para ellas. ¿En qué se parecen y en qué se diferencian sus días? Leed los textos y comentadlo en grupos.

---

cartas de lectores

Un día especial

~ Alberto ~

Para mí, uno de los días más especiales del año es el 31 de diciembre, Nochevieja. Por la tarde, mis padres salen antes del trabajo y entre todos preparamos la cena y la decoración de la mesa. Por la noche, cenamos en familia y, a las 12 de la noche, comemos las 12 uvas. Es un momento muy divertido porque nadie termina de comer las uvas a tiempo. Después de brindar por el nuevo año, mis padres se acuestan y yo salgo con mi hermana y nuestros amigos. Esa noche es larga y muy divertida. Volvemos a casa casi de día y nos acostamos cansadísimos. Al día siguiente, nos despertamos tarde... ¡y tenemos otra comida familiar!

~ Gloria ~

Hay un día muy especial para mí que celebro con mi familia cada año en primavera: el día de las tortillas. Nos reunimos con otras familias y todas tienen que llevar una tortilla diferente: de patatas, de maíz, de espinacas, de atún... Ese día me despierto temprano, me visto con ropa cómoda y voy a casa de mis padres. Mi padre y yo preparamos la tortilla. Después, salimos todos juntos y nos vamos al campo para reunirnos con las otras familias y disfrutar de las tortillas.

- Alberto cuenta una tradición de su país.
○ Sí, pero también es una tradición familiar, ¿no?

+ Para comunicar

→ Cuenta/n una tradición de su ciudad / familiar...

→ Se reúne/n con / en...

→ Se viste/n con

→ Sale/n con amigos/as a bailar...

→ Se despierta/n tarde / temprano...

→ Se acuesta/n tarde / temprano...

⟩ En inmersión

Pregunta a algún/a español/a qué fiesta típica de su ciudad, región o país prefiere y cómo vive ese día. Luego, cuéntalo en clase.

B. Completa la tabla con los verbos resaltados en los textos. ¿Qué formas irregulares hay?

	VESTIRSE	ACOSTARSE	DESPERTARSE	SALIR
(yo)		me acuesto		
(tú)	te vistes	te acuestas	te despiertas	sales
(él /ella, usted)	se viste	se acuesta	se despierta	sale
(nosotros/as)	nos vestimos			
(vosotros/as)	os vestís	os acostáis	os despertáis	salís
(ellos/as, ustedes)	se visten		se despiertan	

C. Escribe cómo celebra el día 31 de diciembre algún español o española que conoces.

9. TODOS LOS DÍAS /MÁS EJ. 12-15

A. Mira la agenda de Pedro. ¿Cómo crees que es? Coméntalo con tus compañeros/as.

deportista   familiar   maniático   perezoso   organizado   raro   otros

	LUNES	MARTES	MIÉRCOLES	JUEVES	VIERNES	SÁBADO	DOMINGO
Pedro	2 Gimnasio Inglés	3 Fútbol Fernando	4 Gimnasio Inglés	5 Fútbol Yoga	6 Gimnasio Cena con Carmen y Rosa	7 Tenis Fernando	8 Comida en casa de la abuela
	9 Gimnasio Inglés	10 Fútbol	11 Gimnasio Inglés Fernando	12 Fútbol Yoga	13 Gimnasio "La Celestina" Teatro Nacional	14 Tenis	15 Comida en casa de la abuela
	16 Gimnasio Inglés	17 Fútbol	18 Gimnasio Inglés	19 Fútbol Yoga	20 Gimnasio Cena con Juan y María	21 Tenis Fernando	22 Comida en casa de la abuela
	23 Gimnasio Inglés	24 Fútbol	25 Gimnasio Inglés Fernando	26 Fútbol Yoga Fernando	27 Gimnasio Cena con Carmen	28 Tenis	29 Comida en casa de la abuela

B. ¿Con qué frecuencia hace Pedro estas actividades? Completa las frases.

hacer yoga   comer con la familia   cenar con amigos   hacer deporte
ir a clases de inglés   ir al teatro   salir con Fernando

1. Casi todos los días _____
2. Una vez a la semana _____
3. Dos veces a la semana _____
4. Los domingos _____

5. Normalmente, los viernes _____
6. A veces _____
7. A menudo _____

C. ¿Tienes algo en común con Pedro? Escríbelo y coméntalo con otras personas de la clase.

Yo también hago deporte casi todos los días.

D. ¿Con qué frecuencia haces estas cosas? Coméntalo con otra persona de la clase.

1. Dormir ocho horas o más.
2. Hacer la cama.
3. Comer con la familia.
4. Cenar fuera de casa.
5. Lavarte los dientes.
6. Tomar café.
7. Salir puntual del trabajo.
8. Ir al cine.

- *Yo duermo 8 horas o más casi todos los días.*
- *¿Ah, sí? ¡Pues yo casi nunca!*

Léxico

LOS DÍAS DE LA SEMANA ⊕ P. 210

01							
ENERO							* el fin de semana ↓
Lunes	Martes	Miércoles	Jueves	Viernes	Sábado	Domingo	
31	1	2	3	4	5	6	

En español es necesario usar artículo con los días de la semana. Cuando hablamos de un día puntual, usamos **el**. Si hablamos de cosas que hacemos habitualmente, usamos el artículo **los**.

- ¿Cuándo llegas?
- *El viernes a las siete de la tarde.*

- ¿Quieres ir al cine *el* viernes?
- *Los viernes por la tarde tengo clases de canto. ¿Vamos el domingo?*

- ¿Qué haces *los* domingos?
- *Normalmente me levanto tarde y como con mi familia.*

No se usa artículo para decir qué día es:

- ¿Sabes qué día es hoy?
- *¿Hoy? (Ø) Lunes.*

- ¿Mañana qué día es?
- *(Ø) Martes.*

EXPRESAR FRECUENCIA ⊕ P. 222

(Casi) siempre

(Casi) todos los días / meses / sábados…
(Casi) todas las tardes / semanas…
Una vez a la semana / **al** mes…
Dos veces a la semana / **al** mes…
Los viernes / sábados / domingos…
Normalmente
A menudo
A veces

(Casi) nunca

- *Yo voy al gimnasio **tres veces a la semana** como mínimo.*
- *Pues yo no voy **casi nunca**.*

SITUAR EN EL DÍA

por la mañana

al mediodía

por la tarde

por la noche

***Por la mañana** voy a la universidad y, **por la tarde**, trabajo en un bar.*

ACTIVIDADES DIARIAS /MÁS EJ. 17

levantarse

hacer la cama

desayunar

ducharse

lavarse los dientes

vestirse

ir / llegar al trabajo

comer / almorzar

hacer deporte

salir del trabajo

cenar

acostarse

Gramática y comunicación

6

LA HORA

- **¿Qué hora es?**
  ¿Tienes / Tiene hora?
- *La una **en punto**.*
  *Las dos **y** diez.*
  *Las cuatro **y cuarto**.*
  *Las seis **y media**.*
  *Las ocho **menos** veinte.*
  *Las diez **menos cuarto**.*

- **¿A qué hora** llega el avión?**
- *A las seis de la mañana.*
  A las doce del mediodía.
  *A las seis y media de la tarde.**
  *A las diez de la noche.**

* En los servicios públicos se utilizan también las formas siguientes: **las dieciocho treinta**, **las veintidós cuarenta y cinco**, etc.

SECUENCIAR ACCIONES   P. 221

Primero, ...	Después, ...
	Luego, ...

*Yo, **primero**, desayuno y, **después**, me ducho. **Luego**, me visto…*

Antes de + infinitivo	**Después de** + infinitivo

*Me ducho siempre **antes de** desayunar.*
*Me lavo los dientes **después de** comer.*

VERBOS PRONOMINALES /MÁS EJ. 20   P. 217

Algunos verbos son pronominales y siempre llevan los pronombres **me**, **te**, **se**, **nos**, **os**, **se**.

	LEVANTARSE
(yo)	**me** levanto
(tú)	**te** levantas
(él / ella, usted)	**se** levanta
(nosotros / nosotras)	**nos** levantamos
(vosotros / vosotras)	**os** levantáis
(ellos / ellas, ustedes)	**se** levantan

Otros verbos: **despertarse**, **acostarse**, **vestirse**, **ducharse**…

 Los pronombres concuerdan con el sujeto: *(Yo)* **Me** *ducho siempre antes de acostar**me**.*

VERBOS IRREGULARES EN PRESENTE /MÁS EJ. 21-23
  P. 224-225

Algunos verbos de las tres conjugaciones (**-ar**, **-er**, **-ir**) en los que la última vocal de la raíz es la **e** o la **o** presentan la siguiente irregularidad en el presente de indicativo.

	O > UE	**E > IE**
	VOLVER	**EMPEZAR**
(yo)	v**ue**lvo	emp**ie**zo
(tú)	v**ue**lves	emp**ie**zas
(él / ella, usted)	v**ue**lve	emp**ie**za
(nosotros/as)	volvemos	empezamos
(vosotros/as)	volvéis	empezáis
(ellos/as, ustedes)	v**ue**lven	emp**ie**zan
	dormir acostarse poder	preferir querer despertarse

Otros verbos, siempre de la tercera conjugación (**-ir**), en los que la última vocal de la raíz es la **e**, presentan una irregularidad similar en las mismas personas, pero la **e** pasa a **i**.

Existe un grupo de verbos que tienen una primera persona (**yo**) irregular, con una **g**.

	E > I	**1.ª PERSONA SINGULAR**
	VESTIRSE	**SALIR**
(yo)	me v**i**sto	**salgo**
(tú)	te v**i**stes	sales
(él / ella, usted)	se v**i**ste	sale
(nosotros/as)	nos vestimos	salimos
(vosotros/as)	os vestís	salís
(ellos/as, ustedes)	se v**i**sten	salen
	pedir servir	hacer (**hago**) poner (**pongo**)

10. ALT│DIGITAL MIS MOMENTOS PREFERIDOS DE LA SEMANA /MÁS EJ. 16

A. ¿Cuáles son tus momentos preferidos de la semana? ¿Por qué?

- *Los viernes por la tarde, porque empieza el fin de semana y voy a clases de baile. Y los sábados por la mañana, porque puedo dormir.*

- *Pues para mí, los fines de semana, porque veo a mi novio, que vive en otra ciudad.*

B. En grupos, cread un póster con vuestros momentos favoritos de la semana.

NUESTROS MOMENTOS PREFERIDOS DE LA SEMANA

DEMIR
Los viernes por la tarde porque voy a clase de baile.

KIRSTEN
Los viernes por la tarde, porque salgo con mis amigos.

EMMA
Los fines de semana, porque veo a mi novio, que vive en otra ciudad.

11. ALT│DIGITAL UN DÍA ESPECIAL PARA MÍ

A. Piensa en un día especial que celebras todos los años con tu familia o amigos/as. Toma notas para responder a las siguientes preguntas.

1. ¿Qué día es?
2. Tipo de celebración (una fiesta típica, una tradición familiar, etc.).
3. ¿Qué haces ese día? (Qué actividades, en qué orden, dónde y con quién, etc.).
4. ¿Por qué te gusta?

B. Ahora escribe un texto contando cómo vives ese día especial.

UN DÍA MUY ESPECIAL PARA MÍ...

es el primer domingo de Adviento, cuatro semanas antes de Navidad. Por la mañana nos levantamos pronto, desayunamos y, después, preparamos Plätzchen, unas galletas típicas de Navidad. Luego, salimos a pasear para ver los mercadillos navideños (hay muchos). Allí compramos regalos, adornos y tomamos chocolate o vino caliente.

Por la tarde comemos los Plätzchen y adornamos la casa con figuras y luces. Luego, cenamos todos juntos. Me gusta porque estoy con toda mi familia y porque ese día, para mí, empieza la Navidad.

Plätzchen

12. LA RUTINA DEL ÉXITO /MÁS EJ. 24, 25

A. En parejas, analizad esta infografía. Para ello, responded a las siguientes preguntas.

1. Según vosotros/as, ¿las personas de las que habla la infografía hacen estas actividades pronto, tarde o a una hora normal?: despertarse, empezar a trabajar, comer, salir del trabajo, acostarse.
2. ¿Duermen mucho, poco o lo normal para vosotros/as?
3. ¿Trabajan mucho, poco o lo normal para vosotros/as?
4. ¿Hacen algunas actividades en un momento del día "raro"? ¿Cuáles? ¿Por qué?

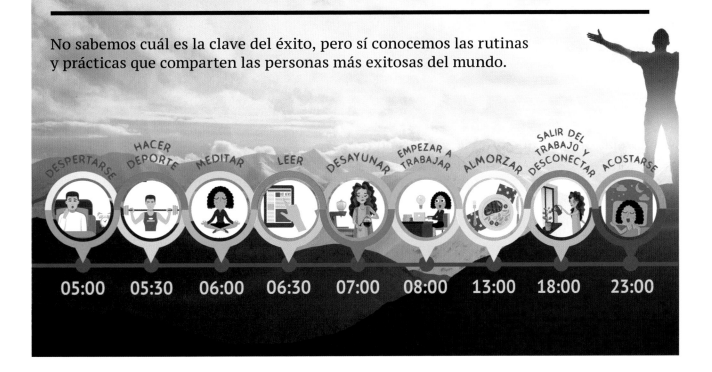

LA RUTINA DE LAS PERSONAS MÁS EXITOSAS DEL MUNDO

No sabemos cuál es la clave del éxito, pero sí conocemos las rutinas y prácticas que comparten las personas más exitosas del mundo.

DESPERTARSE — HACER DEPORTE — MEDITAR — LEER — DESAYUNAR — EMPEZAR A TRABAJAR — ALMORZAR — SALIR DEL TRABAJO Y DESCONECTAR — ACOSTARSE

05:00 05:30 06:00 06:30 07:00 08:00 13:00 18:00 23:00

B. Comentad en grupos qué tiene de especial esta rutina y por qué creéis que las personas exitosas la siguen.

C. En grupos, comentad en qué se parece vuestra rutina a la de la infografía y en qué se diferencia.

- *Yo nunca me despierto a las cinco de la mañana.*
- *Yo tampoco.*

13. PREMIOS

A. Vamos a entregar estos premios a personas de la clase. Primero, mirad las imágenes de los premios y relacionadlas con lo que representan.

Premio…

1. al / a la más sano/a

2. al / a la más casero/a

3. al / a la más deportista

4. al / a la más comilón/a

5. al / a la más trabajador/a

6. al / a la más intelectual

7. al / a la más dormilón/ona

8. al / a la más fiestero/a

B. En parejas decidid qué premio queréis entregar.

C. Preparad cuatro o más preguntas para saber a quién vais a dar el premio.

D. Haced las preguntas a vuestros/as compañeros/as y tomad nota de las respuestas.

- *¿Cuántas horas duermes normalmente?*
- *Siete u ocho.*

PREMIO AL MÁS DORMILÓN/ONA	PAOLO	BRIGITTE	DAMON
1. ¿Cuántas horas duermes normalmente?	7 u 8.	Unas 9.	6 o 7.
2. ¿A qué hora te levantas?	A las 7.	A las 10, más o menos.	A las 11.
3. ¿A qué hora te acuestas?	A las 11 o a las 12.	A la 1.	A las 4 o a las 5.
4. ¿Duermes la siesta?	No, nunca.	Sí, todos los días.	A veces.

E. Entregad el premio.

- *Nosotros entregamos el premio al más dormilón o dormilona a… ¡Brigitte!*

14. ALT DIGITAL UNA SEMANA EN LA VIDA DE UN CHICO ESPAÑOL

VEMOS EL VÍDEO

A. ▶9 Ve el vídeo y marca cuáles de estas afirmaciones pueden referirse al protagonista.

☐ Tiene coche.
☐ Hace dos pausas durante la mañana.
☐ A veces trabaja desde casa.
☐ Va a clases de inglés.
☐ Usa el transporte público para ir a trabajar.

☐ Tiene pareja.
☐ Escucha la radio antes de salir de casa.
☐ Almuerza en la oficina.
☐ Juega al fútbol.

B. Escribe qué hace el protagonista del vídeo y a qué hora, desde que se levanta hasta que empieza a trabajar.

Se levanta a las 7:15 h. Luego...

C. Responde en tu cuaderno a estas preguntas sobre el protagonista.

1. ¿A qué hora empieza a trabajar? ¿Parece una persona puntual?
2. ¿A qué hora hace la pausa? ¿De cuánto tiempo es?
3. ¿A qué hora queda para cenar con Laura? ¿Qué celebran? ¿Qué hacen después?

DESPUÉS DE VER EL VÍDEO

D. Por lo que sabes de sus rutinas, ¿cómo crees que es el protagonista? Coméntalo con otras personas de la clase.

E. En grupos, comentad qué os llama la atención sobre sus rutinas.

F. Escribe un texto o haz una infografía como la de la actividad 12 explicando tu rutina diaria.

¡A COMER!

EN ESTA UNIDAD VAMOS A

CREAR UN MENÚ DEL DÍA Y ELEGIR LOS PLATOS QUE NOS GUSTAN

RECURSOS COMUNICATIVOS

- desenvolverse en bares y restaurantes
- pedir y dar información sobre comida
- hablar de hábitos gastronómicos

RECURSOS GRAMATICALES

- los verbos **poner** y **traer**
- los pronombres de OD (**lo**, **la**, **los**, **las**)
- algunos usos de **de** y **con**

RECURSOS LÉXICOS

- alimentos
- maneras de cocinar
- algunos utensilios y recipientes
- platos habituales en España y platos típicos de América Latina

Empezar

1. UNA COMIDA EN CASA

/MÁS EJ. 1

A. Mira la fotografía e identifica los siguientes alimentos y platos.

1. aceitunas
2. tortilla de patatas
3. gambas
4. chorizo
5. jamón
6. queso
7. pan
8. vino
9. croquetas
10. ensalada
11. nachos
12. chistorra

B. Fíjate de nuevo en la fotografía. ¿Cuántas personas crees que van a comer? ¿Por qué lo crees?

C. ¿Qué te gusta comer a ti cuando te reúnes con tus amigos/as o tu familia? ¿Coméis alguna de las cosas de la foto?

- *Nosotros comemos pasta.*
- *Nosotros compramos queso y otras cosas para picar. Y también hacemos ensaladas.*
- *Pues yo voy mucho a un restaurante indio con mis amigos.*

2. ALT|DIGITAL BOCADILLOS /MÁS EJ. 2

A. Aquí tienes la carta de un establecimiento de bocadillos en España. ¿Conoces los ingredientes y productos que se citan? En parejas, clasificadlos en la tabla.

el Bocata

- 4,90 euros — Calamares
- 3,90 euros — Jamón serrano
- 3,25 euros — Vegetal (tomate, lechuga y queso fresco)
- 3,50 euros — Tortilla de patatas
- 2,90 euros — Jamón york
- 3,50 euros — Pollo (con tomate, lechuga y pepino)
- 3,50 euros — Vegetal con atún
- 2,25 euros — Chorizo
- 2,25 euros — Queso

TODOS NUESTROS BOCADILLOS PUEDEN PEDIRSE CON MAYONESA, MOSTAZA O KÉTCHUP.

CARNE Y EMBUTIDOS **PESCADO** **VERDURAS Y HORTALIZAS** **LÁCTEOS** **OTROS**

- ● *¿El chorizo es un embutido?*
- ○ *Sí, creo que sí. Y la tortilla de patatas, ¿qué lleva?*
- ● *Huevos, patatas y cebolla.*

B. Ve a la web de alguna cadena de bocadillos (Rodilla, Subway, Pans & Company...) y elige un bocadillo. Clasifica los ingredientes en una tabla como la de A. Luego, di qué bocadillo has elegido y qué lleva.

- *Se llama Mallorquín y lleva sobrasada y queso.*
- ○ *¿Qué es "sobrasada"?*
- *Es un embutido.*

C. Tú también puedes hacer tu propio bocadillo. Ponle un nombre. ¿Qué ingredientes lleva? Explícaselo al resto de la clase.

En inmersión

¿Sabes cuál es la diferencia (en España) entre un bocadillo y un sándwich? ¿Sabes qué es un montadito? ¿Y una pulga o una flauta? Investiga preguntando a personas españolas o en establecimientos.

Mi bocadillo

Nombre: ....

Ingredientes: ....

....

- *Mi bocadillo lleva humus y tomate.*
- ○ *¿Y cómo se llama?*

3. ¿QUÉ DESEAN? /MÁS EJ. 3-8

A. Lee el menú de un restaurante español. ¿Es normal encontrar esos platos en un restaurante de tu país? Comentadlo en grupos.

B. 🔊 22 🔊 ALT|VE Escucha y marca lo que piden dos clientes.

Casa Paco

Menú

Para empezar
Sopa del día
Ensalada mixta
Lasaña de espinacas

Plato principal
Salmón al horno con patatas
Milanesa con verduras al vapor
Hamburguesa vegana con patatas fritas

Postres
Fruta de temporada
Yogur natural
Flan

Construimos el

A. ¿Qué alimentos o platos comes más a menudo? Escríbelo.

Queso, pan...

B. ¿Tienes alguna alergia o intolerancia alimentaria? Busca cómo se dicen en español los alimentos que te la producen.

Soy alérgico/a a...
Tengo intolerancia a...

Para comparar

En España, el menú consta normalmente de primero o entrante, segundo o plato principal y postre. ¿Y en tu país?

4. LA CUENTA, POR FAVOR /MÁS EJ. 10, 11

A. 🔊 23-24 ☰ **MAP** Lee estos fragmentos de diálogos. ¿Quién crees que dice cada frase: el / la camarero/a (CAM) o el / la cliente/a (CLI)? Márcalo. Después, escucha y comprueba.

● Hola, ¿me pone un café, por favor? ....
○ Sí, claro, ahora mismo. ....

● ¿Le pongo algo más? ....
○ Sí, una botella de agua, por favor. ....

● ¿Cuánto es? ....
○ Tres con treinta. ....

● ¿Qué desea comer? ....
○ ¿Tienen gazpacho? ....
● No, lo siento, solo en verano. Hoy
  tenemos ensalada mixta, sopa y lentejas. ....
○ ¿La sopa de qué es? ....
● De pollo. Lleva verduras, fideos y pollo. ....
○ Vale, pues de primero quiero ensalada. ....

● Y de segundo, ¿qué desea? ....
○ De segundo, merluza. ....

● ¿Para beber? ....
○ Un agua con gas. ....

● Ahora mismo le traigo el agua. ....
○ Vale, gracias. Y, perdone,
  ¿me trae un poco de pan también? ....
● Claro, enseguida. ....
○ Gracias.

● Perdone, ¿me trae la cuenta, por favor? ....
○ Sí, ahora mismo.

B. Marca en los diálogos las formas de los verbos **poner** y **traer**. ¿Qué formas son irregulares? Luego, traduce a tu lengua las frases en las que aparecen esos verbos.

En inmersión

Averigua qué hacen a la hora de comer algunas personas de tu entorno: ¿Cuánto tiempo tienen normalmente para comer? ¿Dónde comen? ¿Es igual en tu país?

C. Completa estas conversaciones usando los verbos **traer** y **poner**. Piensa en si quieres usar la forma **tú** o la forma **usted**.

5. ¿DE CHOCOLATE O CON CHOCOLATE? /MÁS EJ. 12

A. Observa las imágenes. ¿Entiendes cuándo se usa **de** y cuándo se usa **con**?

B. Busca en páginas anteriores de la unidad otros ejemplos de este uso de **de** y **con**.

C. En parejas, combinad estos platos con diferentes ingredientes. ¿Qué pareja ha creado la combinación más sabrosa? ¿Y la más rara?

helado   sopa   ensalada   tarta   tortilla   hamburguesa   lentejas

Helado de fresa con plátano y frutos secos.

CÁPSULA DE FONÉTICA 7

La che y la jota

6. ¿CÓMO TOMAS EL TÉ? /MÁS EJ. 13-16

A. 🔊 25 🔊 **ALT|MX** ☰ **MAP** Escucha una entrevista a Marina sobre las bebidas que toma y marca sus respuestas.

❶ ¿Por las mañanas tomas té o café?

☐ Café ☐ Té ☐ Ni té ni café
☐ A veces café, a veces té
☐ Otros:

❷ ¿Cómo tomas el café?

☐ No tomo café ☐ Solo
☐ Con leche ☐ Sin azúcar
☐ Otros:

❸ ¿Cómo tomas el té?

☐ No tomo té ☐ Con azúcar
☐ Con limón ☐ Con leche
☐ Otros:

❹ ¿Cómo tomas los refrescos?

☐ No tomo refrescos ☐ Con limón
☐ Fríos o con hielo ☐ Del tiempo
☐ Otros:

❺ Si tomas cerveza, ¿dónde la compras?

☐ A productores artesanales por internet
☐ En el supermercado
☐ En tiendas especializadas
☐ Otros:

❻ Si tomas vino, ¿dónde lo compras?

☐ Por internet ☐ En el supermercado
☐ En tiendas especializadas
☐ Otros:

/ Para comparar

En España, es posible comprar bebidas alcohólicas en los supermercados y en tiendas especializadas. La edad mínima para poder comprar bebidas alcohólicas es de 18 años. ¿Cómo es en tu país?

B. Observa estos fragmentos de la entrevista a Marina. ¿A qué palabras se refieren los pronombres en negrita?

1.

● A ver, el café, ¿cómo **lo** tomas? ¿Solo, con leche...?
○ **Lo** tomo con un poco de leche, pero sin azúcar.

2.

● De acuerdo... ¿Y tomas refrescos?
○ A veces, pero no muy a menudo, porque tienen mucho azúcar.
● ¿**Los** tomas con hielo?

3.

○ Tomo sobre todo cerveza.
● ¿**La** compras en el supermercado?
○ Sí, a veces. Pero me gustan mucho las cervezas artesanales. Y **las** compro en tiendas especializadas.

C. Completa la tabla con los pronombres de objeto directo.

	MASCULINO	FEMENINO
SINGULAR		
PLURAL		

D. Ahora, responde por escrito a las preguntas de la encuesta. Usa los pronombres cuando sea posible.

1. Por las mañanas, siempre tomo café.

2. Normalmente, lo tomo...

En inmersión

¿Sabes qué es un cortado, un café bombón o un carajillo? Pregunta en tu entorno y descubre diferentes formas de tomar y pedir un café en España.

7. VERDURA DE TEMPORADA /MÁS EJ. 17

A. ☰ **MAP** Observa esta campaña. ¿Qué objetivo crees que tiene?

¡COMER VERDURA NO ES ABURRIDO!

¿Comes suficiente verdura? La verdura es fundamental para nuestra alimentación y la podemos comer de muchas maneras diferentes. ¿Cuál te gusta más?

CRUDA

FRITA

GUISADA

SALTEADA

A LA PLANCHA

ASADA/ AL HORNO

AL VAPOR

COCIDA

B. ¿Reconoces las verduras y hortalizas del apartado A? ¿Las comes como sugiere la campaña?

- *Esto son zanahorias, ¿no? Yo nunca las como crudas.*
- *Yo sí. Me encantan.*

C. Ahora piensa en cómo comes tú normalmente estas cosas. Escríbelo en el cuadro y luego coméntalo con tu compañero/a.

LA CARNE **EL PESCADO** **LOS HUEVOS** **LAS PATATAS**

- *Yo, la carne, normalmente la como asada o guisada.*
- *Sí, yo también. Y, a veces, la como cruda.*

➕ **Para comunicar**

→ cocido/a/os/as
→ frito/a/os/as
→ guisado/a/os/as
→ asado/a/os/as
→ salteado/a/os/as

→ a la plancha
→ a la parrilla
→ al horno
→ al vapor
→ crudo/a/os/as

En inmersión

Visita un mercado. ¿Hay alimentos nuevos para ti? ¿Te sorprende encontrar algún tipo de puesto o alimento en el mercado? ¿Echas en falta alguno? ¿Los precios son similares a los de tu país?

Léxico

ALIMENTOS /MÁS EJ. 18, 19, 21-23

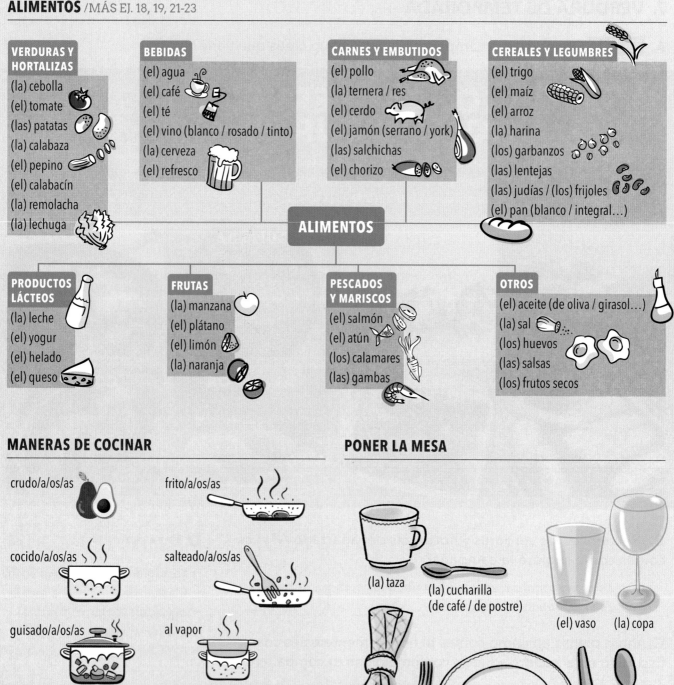

VERDURAS Y HORTALIZAS
- (la) cebolla
- (el) tomate
- (las) patatas
- (la) calabaza
- (el) pepino
- (el) calabacín
- (la) remolacha
- (la) lechuga

BEBIDAS
- (el) agua
- (el) café
- (el) té
- (el) vino (blanco / rosado / tinto)
- (la) cerveza
- (el) refresco

CARNES Y EMBUTIDOS
- (el) pollo
- (la) ternera / res
- (el) cerdo
- (el) jamón (serrano / york)
- (las) salchichas
- (el) chorizo

CEREALES Y LEGUMBRES
- (el) trigo
- (el) maíz
- (el) arroz
- (la) harina
- (los) garbanzos
- (las) lentejas
- (las) judías / (los) frijoles
- (el) pan (blanco / integral…)

ALIMENTOS

PRODUCTOS LÁCTEOS
- (la) leche
- (el) yogur
- (el) helado
- (el) queso

FRUTAS
- (la) manzana
- (el) plátano
- (el) limón
- (la) naranja

PESCADOS Y MARISCOS
- (el) salmón
- (el) atún
- (los) calamares
- (las) gambas

OTROS
- (el) aceite (de oliva / girasol…)
- (la) sal
- (los) huevos
- (las) salsas
- (los) frutos secos

MANERAS DE COCINAR

- crudo/a/os/as
- cocido/a/os/as
- guisado/a/os/as
- a la plancha
- a la parrilla
- frito/a/os/as
- salteado/a/os/as
- al vapor
- asado/a/os/as al horno

PONER LA MESA

- (la) taza
- (la) cucharilla (de café / de postre)
- (el) vaso
- (la) copa
- (la) servilleta
- (el) tenedor
- (el) plato
- (el) cuchillo
- (la) cuchara

PEDIR Y DAR INFORMACIÓN SOBRE COMIDA
➕ P. 209-210, P. 219

- ¿**Qué es** la merluza?
- ○ Un pescado.

- ¿La merluza **es** carne **o** pescado?
- ○ Pescado.

- El guacamole, ¿**qué lleva**?
- ○ (**Lleva**) ø aguacate, tomate, cebolla, limón y sal.

- Los macarrones, ¿**qué llevan**?
- ○ (**Llevan**) ø salsa de tomate y queso.

LAS PREPOSICIONES DE Y CON

| Tortilla **de** patatas / espinacas / champiñones |
| Carne **con** patatas / arroz / ensalada / verduras |

- ¿La sopa **de** qué es?
- ○ (Es) **de** verduras.

- ¿El pollo viene **con** acompañamiento?
- ○ Sí, viene **con** ensalada o **con** patatas.

BARES Y RESTAURANTES

Normalmente, en establecimientos públicos, es recomendable usar las formas **usted** o **ustedes**.

CAMAREROS/AS

Para preguntar qué quiere el cliente	¿Qué desea/n?
	¿Qué le / les pongo?
	¿Para beber?
Para ofrecer	¿**Alguna cosa de** postre?
	¿**Algún** café / licor?

CLIENTES/AS

Para pedir en un restaurante	**Primero, (quiero)** sopa, y **después,** pollo al horno.
	(**Para beber**) una cerveza, por favor.
	Para mí, la ensalada de espinacas.
Para preguntar por los platos de un menú	¿**Qué hay** / **tienen de** primero / entrante / segundo / plato principal / postre?
Para pedir algo más	**Perdone, ¿me pone** otra agua?
	Perdone, ¿me trae un poco más de pan?
Para pagar	¿**Cuánto es**? / ¿**Qué le debo**?
	La cuenta, por favor.

PRESENTE DE INDICATIVO: VERBOS PONER Y TRAER
➕ P. 223-225

	PONER	TRAER
(yo)	**pongo**	**traigo**
(tú)	pones	traes
(él / ella, usted)	pone	trae
(nosotros/as)	ponemos	traemos
(vosotros/as)	ponéis	traéis
(ellos/as, ustedes)	ponen	traen

- ¿Qué le **pongo**?
- ○ Un café y un cruasán.

- ¿Me **trae** la carta, por favor?
- ○ Sí, ahora mismo.

LO, LA, LOS, LAS: PRONOMBRES PERSONALES DE OBJETO DIRECTO (OD)
➕ P. 217, 219

Los pronombres personales de objeto directo (**lo**, **la**, **los**, **las**) aparecen cuando, por el contexto, ya está claro cuál es el OD de un verbo y no lo queremos repetir.

	SINGULAR	PLURAL
MASCULINO	lo	los
FEMENINO	la	las

- ¿Cómo tomas el café?
- ○ Normalmente, **lo** tomo solo.

- ¿Dónde compras la fruta?
- ○ Siempre **la** compro en el mercado.

- ¿Te gustan los cereales?
- ○ Sí, mucho. **Los** tomo con leche o con yogur.

- ¿Cómo comes las patatas?
- ○ Casi siempre **las** como fritas.

También usamos los pronombres cuando el OD está en la misma frase antes del verbo.

Normalmente, el pescado, **lo** cocino al vapor, pero la carne, **la** hago a la plancha.

❗ No usamos los pronombres cuando el OD no lleva determinantes (artículos, posesivos, demostrativos).

- ¿Esta sopa lleva Ø cebolla?
- ○ No, no Ø lleva.

8. **ALT|DIGITAL** CAFÉ CON LECHE SIN AZÚCAR /MÁS EJ. 20

A. En grupos, observad esta infografía. ¿Vosotros/as consumís estos alimentos?
¿Los consumís como se indica o de otras maneras?

- *Yo como los cereales, normalmente, con yogur y frutos secos.*
- *¿Los tomas para desayunar?*
- *Sí, y a veces para merendar también.*

B. Cread una infografía como la de A de algún alimento muy consumido.
Preguntad a personas de la clase cómo los consumen o investigad en internet.
Aquí tenéis algunas ideas.

las naranjas   la leche   el maíz   el arroz   los plátanos

C. ¿Habéis descubierto algo curioso sobre el consumo de algún alimento?
Compartidlo con el resto de la clase.

- *Logan a veces toma arroz con leche y canela para desayunar. Dice que es muy sano.*

9. ALT│DIGITAL COMIDA EN LA CALLE /MÁS EJ. 24-26

A. Estos son platos típicos de algunos países de América Latina que se pueden comprar en la calle. ¿Los conoces? ¿Puedes encontrarlos en tu ciudad? ¿Dónde?

Arepas
(Venezuela, Colombia y Panamá)

Tacos
(México)

Anticuchos
(Perú, Chile y Bolivia)

Empanadas
(Chile, Argentina, Uruguay, Colombia, Perú, Bolivia...)

B. 🔊 26 Vas a escuchar a algunas personas que hablan de esos platos. Completa la tabla con los ingredientes que lleva cada uno.

PLATOS	INGREDIENTES
1. Arepas	
2. Tacos	
3. Anticuchos	
4. Empanadas	

C. ¿Conoces algún otro plato que se puede comprar en la calle? ¿De qué país o países es típico? Busca una foto y los ingredientes que lleva, y preséntalo en clase.

Los tamales son una masa de maíz rellena de carne o verdura, pero también puede llevar otros ingredientes. Normalmente llevan alguna salsa. Pueden ser salados o dulces (con fruta).

Es un plato típico de México y América Central, pero también lo comen en Bolivia, el noroeste de Argentina, el norte de Chile, Perú, Colombia y Venezuela.

🏊 En inmersión 7

¿En el lugar donde vives en España hay opciones para comprar comida en la calle? ¿Es comida española o de otras partes del mundo? Comenta tus observaciones con la clase.

10. `ALT│DIGITAL` MAPA GASTRONÓMICO DE ESPAÑA

A. Vais a crear un mapa gastronómico de España. Primero, por grupos, investigad qué platos típicos hay en las diferentes regiones y qué ingredientes llevan (buscad fotos de cada plato).

ESPAÑA MAPA GASTRONÓMICO

Galicia — Empanada
Cantabria — Cocido montañés
Andalucía — Gazpacho

B. Poned en común vuestros platos típicos y completad entre todos/as el mapa gastronómico. Después, comentad qué platos os gustan, cuáles no o cuáles os gustaría probar.

11. `ALT│DIGITAL` EL MENÚ DE HOY /MÁS EJ. 27

A. En grupos, vamos a hacer un menú del día y a simular que estamos en un restaurante. Primero, cada persona piensa en un primer plato, en un segundo y en un postre.

B. Cuenta a tus compañeros/as cómo se llaman los platos y qué llevan. Una persona apunta los platos propuestos. Si alguien no conoce alguno, puede hacer preguntas.

- ¿Yo, de primero, propongo macarrones a la Nicoletta.
- ¿Qué son?
- Son los macarrones de mi abuela. Llevan...

PRIMEROS	MACARRONES A LA NICOLETTA
SEGUNDOS	
POSTRES	

C. Ahora, organizaos en mesas, como en un restaurante. Alguien hace de camarero/a y los / las demás piden.

- Hola, buenos días.
- ¿Qué desea?
- Pues de primero quiero...

D. ¿Cuáles son los platos más pedidos?

➕ **Para comunicar**

CAMARERO/A
→ ¿Qué desea/n?
→ ¿Qué le / les pongo?
→ ¿Para beber?
→ ¿Alguna cosa de postre?

CLIENTE/A
→ De primero (quiero) sopa, y de segundo, pollo al horno.
→ (Para beber) una cerveza, por favor.
→ Perdone, ¿qué hay / tienen de postre?

12. UN DÍA POR MADRID: ¡VIAJE DELICIOSO!

VEMOS EL VÍDEO

A. ▶ **10** Ve el vídeo y responde a las preguntas sobre cada plato.

Chocolate caliente con churros
1. ¿En qué momento del día lo toma la gente?
2. ¿Qué lleva la masa de los churros?
3. ¿Qué diferencias hay entre los churros de España y los de América Latina?

Cocido madrileño
4. ¿Qué ingredientes lleva este plato?
5. ¿Es un plato único? Justifica tu respuesta.

Patatas bravas
6. ¿En qué momento del día es típico comer esta tapa?
7. ¿Qué lleva?
8. Escribe dos características de la salsa brava.

B. ▶ **10** Ve de nuevo el vídeo y anota algún dato interesante de cada plato. Después, compártelo con otras personas de la clase. ¿Coincidís?

DESPUÉS DE VER EL VÍDEO

C. Una persona visita tu ciudad (o una que conoces bien). Piensa tres platos típicos que esa persona tiene que probar y dónde. Prepara una presentación.

- nombre y tipo de plato (entrante, plato principal…)
- ingredientes
- momento del día ideal para tomarlo
- lugar perfecto para probarlo y por qué

8

EL BARRIO IDEAL

Cimadevilla

EN ESTA UNIDAD VAMOS A

IMAGINAR Y DESCRIBIR UN BARRIO IDEAL

RECURSOS COMUNICATIVOS

- describir pueblos, barrios y ciudades
- hablar de lo que más nos gusta de un lugar
- pedir y dar información para llegar a un sitio
- expresar gustos y resaltar un aspecto

RECURSOS GRAMATICALES

- cuantificadores (**algún**, **ningún**, **mucho**…)
- preposiciones y adverbios de lugar (**a**, **en**, **al lado de**, **lejos**, **cerca**…)

RECURSOS LÉXICOS

- servicios y lugares de las ciudades
- adjetivos para describir barrios y ciudades

Empezar

1. CIMADEVILLA

/MÁS EJ. 1, 2

A. Mira las fotos del barrio de Cimadevilla, en Gijón (España). ¿Cómo te parece que es?

- bonito
- feo
- histórico
- moderno
- bien comunicado
- mal comunicado
- tranquilo
- ruidoso
- con muchos servicios
- con pocos servicios
- agradable
- con mucha vida

> • *Parece un barrio tranquilo, ¿no?*

B. ¿Qué cosas reconoces en las imágenes?

En inmersión

¿Conoces los barrios de la ciudad donde estudias español? ¿Cómo se llaman?

Comprender

2. UN BARRIO TÍPICO /MÁS EJ. 3

A. Este es el centro de un barrio típico de una ciudad española. Identifica en la ilustración los siguientes elementos.

- ○ una zona peatonal
- ○ un restaurante
- ○ un parque
- ○ contenedores de basura

- ○ un cajero automático
- ○ un centro comercial
- ○ una tienda de ropa
- ○ un bar

- ○ una estación de metro
- ○ un parking
- ○ una escuela
- ○ una biblioteca

- ○ un supermercado
- ○ una parada de autobús
- ○ un polideportivo
- ○ una papelera

B. Ahora completa la lista con otros servicios, establecimientos o lugares que ves en el dibujo.

C. ¿Te gustaría vivir en este barrio? Coméntalo con otra persona de la clase.

- *A mí no, me parece feo.*
- *Pues a mí sí. Hay muchos servicios.*

3. CIUDADES PREFERIDAS /MÁS EJ. 4

A. ☰ MAP Lee este artículo de revista en el que dos personas hablan de su ciudad. ¿Qué cosas son parecidas en las dos ciudades? ¿Qué diferencias hay?

ME ENCANTA MI CIUDAD

MONTEVIDEO
Esther Ruiz

Montevideo es una ciudad tranquila. Tiene un casco antiguo muy lindo, con monumentos y lugares de interés turístico, como el palacio Salvo en Plaza Independencia, el Cabildo o el teatro Solís. Dos de mis lugares favoritos de la ciudad son la peatonal Sarandí, la principal calle peatonal de la ciudad vieja, y la Rambla, una avenida que conecta la ciudad con las playas y con poblaciones cercanas. También hay muchos restaurantes donde se come muy bien.

Mis recomendaciones
Un paseo gastronómico por el mercado del puerto para probar comidas típicas. Es un lugar con mucho ambiente nocturno.

SEVILLA
Julián Caballero

Aquí se vive muy bien. Sevilla es una ciudad muy alegre y muy bonita. Además, los sevillanos en general somos muy abiertos. Hay muchísimos monumentos y sitios para visitar, como la Torre del Oro, la catedral, la Giralda, el barrio de Santa Cruz... Y, lo más importante: hay muchos lugares para comer bien y salir. ¡Aquí se come muy bien! Además, el clima es muy bueno, casi siempre hace sol, aunque en verano hace demasiado calor.

Mis recomendaciones
Un paseo por la ribera del río Guadalquivir; es muy agradable, sobre todo en primavera.

B. 🔊 27 🔊 ALT|UR Antonio habla de Sevilla con un amigo. Anota qué recomendaciones da y compáralas con las de otra persona.

C. ¿En cuál de esas ciudades te gustaría vivir? ¿Por qué?

- *Me gustaría vivir en Montevideo porque para mí es importante vivir al lado del mar...*

En inmersión

¿Qué piensan de su ciudad los españoles y españolas que conoces? Pregunta en tu entorno y, después, pon en común sus opiniones con el resto de la clase. ¿Coinciden? ¿Con qué opinión u opiniones estás de acuerdo?

Construimos el

ALT|DIGITAL ¿Cómo son las ciudades que te gustan? Escríbelo en una tabla como esta.

Me gustan las ciudades con...	Me gustan las ciudades...	Me gustan las ciudades que...
mar	antiguas	están cerca de la montaña

4. ALT DIGITAL MI BARRIO /MÁS EJ. 5, 7, 8

A. ¿Cómo es tu barrio? Marca con una cruz las frases que puedes usar para describirlo.

☐ En mi barrio hay **muchos** bares y restaurantes.

☐ En mi barrio hay **mucha** contaminación.

☐ Mi barrio es **muy** tranquilo.

☐ Mi barrio tiene **pocas** zonas verdes.

☐ Mi barrio tiene **bastante** vida.

☐ En mi barrio **no** hay **ninguna** iglesia.

☐ Mi barrio es **bastante** sucio.

☐ En mi barrio hay **poco** tráfico.

☐ En mi barrio hay **demasiados** coches.

☐ En mi barrio hay **bastantes** tiendas.

☐ En mi barrio hay **varias** plazas.

☐ En mi barrio hay **demasiada** gente.

B. Completa los cuadros con las palabras en negrita de A.

	CON SUSTANTIVOS CONTABLES		CON SUSTANTIVOS NO CONTABLES (siempre en singular)	
	Masculino	**Femenino**	**Masculino**	**Femenino**
Singular	**ningún** restaurante		**bastante** tráfico	
	pocos parques			**poca** gente
	varios parques		**mucho** tráfico	
Plural	**bastantes** parques		**demasiado** tráfico	
		muchas plazas		
		demasiadas tiendas		

C. Completa estas frases con información sobre tu barrio.

1. Mi barrio es **muy** ....

2. Mi barrio es **bastante** ....

3. En mi barrio hay **bastante** ....

4. En mi barrio hay **bastantes** ....

5. Mi barrio tiene **mucho/a/os** ....

6. En mi barrio hay **poco/a/os/as** ....

7. En mi barrio hay **demasiado/a/os/as** ....

8. En mi barrio hay **algunos** ....

9. En mi barrio hay **algunas** ....

10. En mi barrio no hay **ningún** ....

11. En mi barrio no hay **ninguna** ....

D. Ahora describe tu barrio al resto de la clase. Entre todos/as, decidid cuál es el mejor.

- *Yo vivo en el centro histórico. Es un barrio antiguo, muy turístico y con mucho ambiente. Es bastante ruidoso, pero a mí me encanta. Lo que más me gusta es que está en el centro y lo que menos me gusta es que no hay ningún parque.*

Para comunicar

→ Lo que más me gusta de mi barrio es (que)…

→ Lo que menos me gusta de mi barrio es (que)…

CÁPSULA DE FONÉTICA 8

Diptongos

5. LA ESTACIÓN DE METRO ESTÁ AL LADO DEL RESTAURANTE /MÁS EJ. 10

A. Fíjate en el plano y lee las frases. ¿Entiendes qué significan las expresiones en negrita? ¿Cómo se dicen en tu lengua?

/ Para comparar

En el mapa aparecen abreviaturas de las palabras **calle**, **paseo**, **plaza** y **avenida**. ¿Qué abreviaturas hay en tu lengua para los principales tipos de calle?

🏃 En inmersión

Fíjate en los nombres de las calles, plazas, etc. de tu barrio o ciudad en España. ¿Te llama la atención alguno? ¿Sabes por qué se llama así?

1. El cine está **a la izquierda de** la escuela.
2. La estación de metro está **al lado de**l restaurante.
3. El museo está **cerca de**l restaurante.
4. Para ir al parque desde el cine, tienes que seguir **todo recto**; está en la cuarta calle a la derecha.
5. El metro está **a la derecha de**l banco.
6. Para ir al cine desde el hospital, tienes que seguir todo recto y girar en la segunda calle a la izquierda; está en la primera calle a la derecha. La escuela está en **la esquina**.
7. La escuela está **lejos de**l parque.

B. Escribe las expresiones de A al lado del esquema correspondiente.

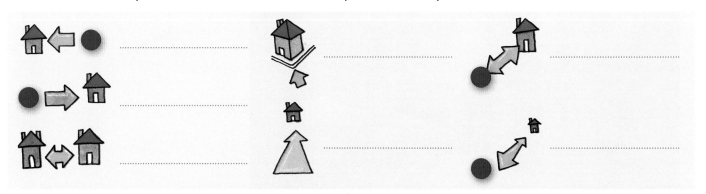

C. Fíjate de nuevo en el plano de A y escribe tres frases más. En una de ellas, la información tiene que ser falsa. Luego, léeselas a otra persona de la clase. ¿Sabe cuál es la falsa?

6. ¿HAY ALGÚN SUPERMERCADO POR AQUÍ? /MÁS EJ. 6, 9

A. 🔊 28 Martina hace una fiesta en su casa. Algunos/as de sus invitados/as le preguntan cómo llegar a diferentes lugares cerca de su casa. Escucha y completa la tabla.

	¿Qué busca?	¿Hay alguno/a cerca de casa de Martina?	¿Dónde?
1. Jimena			
2. Guadalupe			
3. Carlos			
4. Marco			

B. Fíjate en estos fragmentos de dos de las conversaciones de A. ¿A qué sustantivos se refieren las palabras en negrita?

- ¿Hay algún contenedor para reciclar plástico en esta calle?
- No, no hay **ninguno**. Hay **uno** a tres calles.

- ¿Hay alguna estación de metro cerca?
- No, cerca no hay **ninguna**. Hay **una**, pero está un poco lejos.

- Tengo que ir a una farmacia. ¿Hay **alguna** por aquí cerca?

C. ¿Qué te interesa saber sobre los alrededores de tu escuela? Haz preguntas a otras personas de la clase o a tu profesor/a para obtener la información. Aquí tienes algunas ideas.

una parada de autobús   un restaurante
una farmacia   un hospital
una biblioteca   un cajero automático
un supermercado   una estación de metro

- *¿Hay algún restaurante japonés por aquí cerca?*
- *Sí, hay uno en esta calle. Sigues todo recto y está justo en la esquina.*

- *¿Dónde está el cine Odeon?*
- *En la segunda calle a la derecha.*

➕ **Para comunicar**

→ Perdone/a, ¿dónde está el / la...?
→ Perdone/a, ¿hay algún supermercado por aquí (cerca)?
→ Perdone/a, ¿hay alguna farmacia por aquí (cerca)?
→ Sigue/s todo recto.
→ Gira/s a la derecha / a la izquierda.

Léxico

DESCRIBIR BARRIOS Y CIUDADES

Es (un barrio / una ciudad) ruidoso/a   tranquilo/a   moderno/a   histórico/a   antiguo/a   bonito/a   feo/a   sucio/a   limpio/a   caro/a   barato/a   moderno/a   elegante

Es un barrio / una ciudad con mucho encanto

Hay / Tiene zonas verdes   cines   escuelas   hospitales   calles peatonales   servicios   oferta cultural

Tiene (mucho) encanto   (mucha / bastante / poca) vida (nocturna)

Está bien / mal comunicado

LUGARES, SERVICIOS Y MOBILIARIO URBANO /MÁS EJ. 17

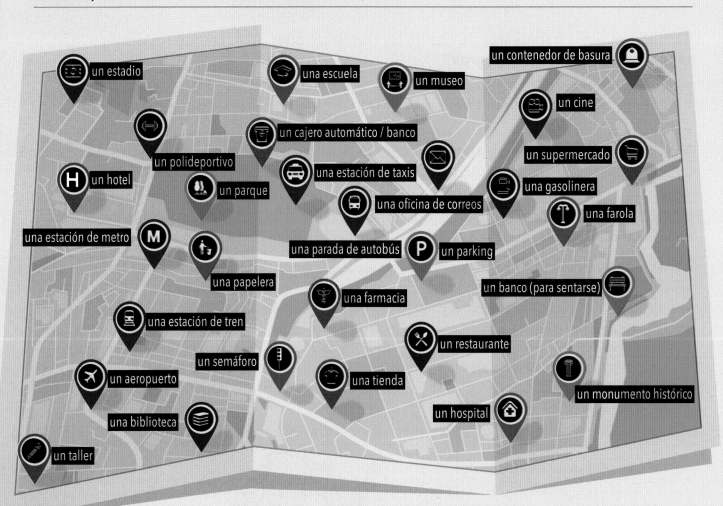

un estadio — una escuela — un museo — un contenedor de basura — un cine — un cajero automático / banco — un polideportivo — un supermercado — un hotel — una estación de taxis — una gasolinera — un parque — una oficina de correos — una farola — una estación de metro — una parada de autobús — un parking — una papelera — un banco (para sentarse) — una farmacia — una estación de tren — un restaurante — un semáforo — una tienda — un monumento histórico — un aeropuerto — una biblioteca — un hospital — un taller

PEDIR INFORMACIÓN SOBRE UBICACIÓN

/MÁS EJ. 12-14   ⊕ P. 220

*¿**Hay** una / alguna farmacia (**por**) **aquí cerca**?*

*¿El hospital **está** (**por**) **aquí cerca**?*

*¿**Está** muy **lejos de aquí** el estadio de fútbol?*

*¿**Dónde está** la parada de metro?*

*¿La biblioteca **está en esta calle**?*

DAR INFORMACIÓN SOBRE UBICACIÓN /MÁS EJ. 11, 15

⊕ P. 220

Está	a	(unos) 20 minutos	
		(unos) 200 metros	
Está		muy lejos bastante lejos un poco lejos bastante cerca muy cerca	de aquí. de la universidad.
		aquí al lado. aquí mismo.	

- *¿La universidad **está muy lejos de aquí**?*
- *¡Qué va! No está lejos, **está aquí al lado. A cinco minutos**.*

A la derecha (**de...**)
A la izquierda (**de...**)
Al lado (**de...**)
Al final (**de...**)
En la esquina
En la plaza / la calle / la avenida…

(Sigue/s) **todo recto**
(Gira/s) **la primera / la segunda**… (calle) **a la derecha / izquierda**…

- *Perdona, ¿sabes si hay alguna farmacia aquí cerca?*
- *Sí, mira, hay una **al final de** la calle, **a la derecha**, **al lado de** un gimnasio.*

CUANTIFICADORES

⊕ P. 213-214

CON SUSTANTIVOS NO CONTABLES	CON SUSTANTIVOS CONTABLES
(siempre en singular)	**singular**
no… ø tráfico / gente	**ningún*** parque **ninguna*** plaza
ø tráfico / gente	**un** parque / **una** plaza **algún*** parque **alguna*** plaza
	plural
	varios parques **varias** plazas
poco tráfico **poca** gente	**pocos** parques **pocas** plazas
bastante tráfico / gente	**bastantes** parques / plazas
mucho tráfico **mucha** gente	**muchos** parques **muchas** plazas
demasiado tráfico **demasiada** gente	**demasiados** parques **demasiadas** plazas

* **Ningún** y **ninguna** se usan siempre en una frase con **no**: *No hay **ningún** parque.*

* Usamos **algún** y **alguna** (y no **varios** o **varias**) sobre todo en preguntas: *¿Hay **algún** contenedor / **alguna** papelera por aquí cerca?*

Ningún, **un** y **algún** se convierten en **ninguno**, **uno** y **alguno** cuando se refieren a un sustantivo ya conocido que no repetimos.

- *Perdona, ¿hay algún <u>gimnasio</u> por aquí?*
- *Mmm… no, **no** hay **ninguno**.*

- *En mi barrio no hay ningún <u>parque</u>, ¿en tu barrio hay **alguno**?*
- *Sí, en el mío hay **uno** muy bonito.*

EXPRESAR GUSTOS: RESALTAR UN ASPECTO

Lo que más / menos me gusta… es / son + sustantivo
Lo que más / menos me gusta… es que + frase

- *¿Qué es **lo que más te gusta** de tu barrio?*
- ***Lo que más me gusta es** la gente y **lo que menos me gusta es que** hay pocas zonas verdes.*

7. [ALT] [DIGITAL] **MADRID** /MÁS EJ. 18

A. [≡ ALT] [≡ MAP] Lee este artículo. Luego, en grupos de tres, responded a estas preguntas.

- ¿Qué barrio te parece más atractivo para vivir? ¿Y para visitar? ¿Por qué?
- ¿Conoces barrios de otras ciudades con características similares? ¿Cuáles?

BARRIOS EMBLEMÁTICOS

MADRID

LAVAPIÉS está en el centro de Madrid. Es un barrio antiguo y bohemio, con mucho encanto. Las calles son estrechas y hay muchos bares y pisos turísticos. Muchos artistas y jóvenes viven aquí. En este barrio viven también muchas personas venidas de otros lugares del mundo y gente mayor. En Lavapiés hay bastantes corralas, antiguos bloques de pisos pequeños con un patio interior comunitario.

VALLECAS es un barrio tradicionalmente obrero. Hay muchos edificios de viviendas económicas, construidas en los años 60 y 70. En este barrio no hay mucha oferta cultural, pero hay mercados, varias escuelas, muchas tiendas… Está un poco lejos del centro de la ciudad, pero está bien comunicado. Tiene parques grandes y varios centros comerciales. Aquí vive mucha gente venida de otros lugares de España en los años 60.

CHAMBERÍ es un barrio céntrico y bastante elegante. En la actualidad es uno de los barrios más caros de Madrid, con pisos grandes en edificios de principios del siglo xx. Tiene zonas peatonales, tiendas de todo tipo, gimnasios, cines… También hay muchos bares y restaurantes y es uno de los mejores barrios de Madrid para ir de tapas y salir de noche.

B. En los mismos grupos, cada uno/a busca fotografías de un barrio del texto de A que ilustren lo que se describe en el texto. Luego las muestra a los / las demás.

C. [🔊 29] [🔊 ALT|AR] Ahora escucha a Fernanda, que va a ir a vivir a Madrid. Anota en tu cuaderno sus necesidades, gustos y preferencias.

D. En parejas, comentad vuestras notas de C. ¿Qué barrio de A creéis que es mejor para Fernanda? ¿Por qué?

E. Vais a escribir un artículo breve sobre barrios emblemáticos de países de habla hispana. En parejas, buscad información sobre uno de estos u otro, y preparad vuestro texto.

La Candelaria (Bogotá)   Miraflores (Lima)   Providencia (Santiago de Chile)

La Habana Vieja (La Habana)   Nuevo Polanco (Ciudad de México)   Barranco (Lima)

8. `ALT|DIGITAL` LUGARES INTERESANTES /MÁS EJ. 19

A. Piensa en lugares interesantes de tu ciudad en España (una tienda, un restaurante, un mercado, etc.). Comparte información sobre ellos con otras personas de la clase.

- *Yo voy mucho al parque Genovés para pasear y mirar el lago y la cascada. Es muy relajante.*

B. Entre todos/as, haced un mapa de los mejores lugares de la ciudad. Ilustradlo con imágenes y descripciones de los lugares.

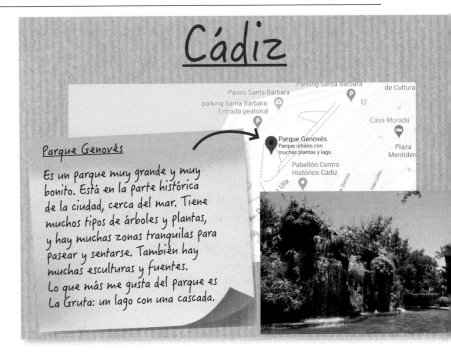

Cádiz

Parque Genovés

Es un parque muy grande y muy bonito. Está en la parte histórica de la ciudad, cerca del mar. Tiene muchos tipos de árboles y plantas, y hay muchas zonas tranquilas para pasear y sentarse. También hay muchas esculturas y fuentes. Lo que más me gusta del parque es La Gruta: un lago con una cascada.

9. `ALT|DIGITAL` BUENAS CIUDADES PARA VISITAR Y PARA VIVIR /MÁS EJ. 20

A. Marca qué cinco aspectos valoras más en una ciudad que visitas como turista.

- ☐ la oferta cultural
- ☐ los precios
- ☐ las escuelas y universidades
- ☐ los restaurantes y bares
- ☐ la vida nocturna
- ☐ el transporte público
- ☐ la seguridad
- ☐ la hospitalidad de la gente
- ☐ los monumentos históricos
- ☐ los hospitales
- ☐ la limpieza
- ☐ el clima
- ☐ la situación geográfica
- ☐ el mercado laboral
- ☐ los servicios administrativos
- ☐ las zonas verdes
- ☐ las tiendas y los centros comerciales

En inmersión

¿Sabes cuáles son las ciudades españolas que más turistas reciben? ¿Y las que destacan más por la calidad de vida? Busca los datos en internet y ponlos en común con la clase. ¿Te gustaría vivir en alguna de esas ciudades o ir a visitarlas? ¿Por qué?

B. Ahora, subraya en la lista de A qué aspectos valoras más en una ciudad para vivir.

C. Comentad en grupos vuestras respuestas a A y B. ¿Qué cosas valoráis más todos/as?

- *Para mí, una ciudad que visito tiene que ser segura. Ah, y la gente tiene que ser amable. En cambio, en una ciudad para vivir lo más importante es el transporte público, las escuelas...*

D. ¿Qué aspectos de A caracterizan la ciudad en la que estudias español? Comentadlo en grupos. ¿Estáis todos/as de acuerdo?

10. ALT DIGITAL UN BARRIO IDEAL

A. En grupos, vais a imaginar vuestro barrio ideal. Primero, completad esta ficha.

Cómo se llama: ....
Dónde está: ....
Cómo es: ....

+ Para comunicar

→ Nuestro barrio **está cerca de / lejos de / en / al lado de** la playa / la montaña / el centro / un río…

→ En nuestro barrio hay **muchos / varios / algunos** bares y restaurantes / parques / piscinas públicas / coches…

→ En nuestro barrio **no hay** bares **ni** restaurantes / parques…

→ Es un barrio **tranquilo / moderno / antiguo / con mucha vida**, etc.

B. Ahora haced un plano para explicar al resto de la clase cómo es ese barrio. Los / Las demás pueden hacer preguntas.

- *Nuestro barrio se llama Los Marineros y está al lado del mar. Es un barrio de pescadores precioso. En el barrio hay bastantes restaurantes…*

C. Entre todos/as, vais a decidir cuál es el mejor barrio de todos.

- *Yo elijo el barrio de Los Marineros porque tiene bastantes bares y restaurantes. Lo que más me gusta de este barrio es que está al lado del mar.*

11. EL BARRIO DE SAN TELMO

ANTES DE VER EL VÍDEO

A. Busca fotografías del barrio de San Telmo, en Buenos Aires (Argentina). ¿Cómo te parece que es? Coméntalo con otra persona de la clase.

VEMOS EL VÍDEO

B. ▶ 11 Ve el vídeo hasta el minuto 01:12. ¿Con qué dos adjetivos describe Cynthia el barrio de San Telmo? ¿De qué dos lugares conocidos de Buenos Aires está cerca?

C. ▶ 11 Ve el resto del vídeo y anota qué información da sobre los siguientes lugares.

DESPUÉS DE VER EL VÍDEO

D. ¿Cuáles de estas cosas podemos decir de San Telmo a partir de la información del vídeo?

☐ Es turístico.
☐ Tiene calles con farolas y adoquines.
☐ Está mal comunicado.

☐ Es residencial.
☐ Es bohemio.
☐ Tiene muchos servicios.
☐ La plaza Dorrego está allí.

☐ Tiene edificios de estilo colonial.
☐ Todas las calles son peatonales.

E. Haz un vídeo para presentar un barrio interesante de la ciudad en la que vives.

EN ESTA UNIDAD VAMOS A

ELEGIR A LA PERSONA IDEAL PARA REALIZAR UN TRABAJO

RECURSOS COMUNICATIVOS

- hablar de experiencias pasadas
- hablar de habilidades y aptitúdes
- hablar de cualidades y defectos de las personas

RECURSOS GRAMATICALES

- el pretérito perfecto
- **saber** + infinitivo
- **poder** + infinitivo

RECURSOS LÉXICOS

- profesiones
- adjetivos de carácter
- habilidades y capacidades
- cuantificadores

Empezar

1. EL ESTUDIO DE LAURA

A. Estas son cinco afirmaciones sobre Laura. Relaciónalas con cosas que ves en su estudio.

- Sabe tocar el bajo.
- Ha viajado mucho.
- Tiene hijos.
- Le gusta la fotografía.
- Sabe ruso.

B. ¿Qué más puedes decir de Laura?

C. ¿En qué coincides tú con Laura?

- *Yo también sé ruso.*
- *Pues yo también he viajado bastante.*

Comprender

2. DOS COMPAÑEROS DE PISO PARA RAQUEL /MÁS EJ. 1

A. Para ti, ¿cómo tiene que ser un/a compañero/a de piso? Comentadlo en parejas.

- divertido/a
- tranquilo/a
- sociable
- responsable
- organizado/a
- limpio/a

CÁPSULA DE FONÉTICA 9

La pronunciación de /p/, /t/, /k/

B. Ahora lee el mail de Raquel. Imagina que eres tú quien tiene que compartir piso con Alberto o Erik. ¿A quién eliges? ¿Por qué?

Raquel Azcona
Alberto o Erik
Para: rserrano@africamail.com

a las 15:37

¡Hola! ¿Qué tal? Yo, muy bien, continúo buscando compañero de piso… Y estoy un poco confusa. Han venido a ver el piso dos chicos muy interesantes. Son muy distintos, pero los dos me gustan bastante. ¡El problema es que no sé a cuál elegir para compartir piso!

Uno se llama Alberto. Es músico, toca la guitarra en un grupo, escribe poesía y canta. Ha viajado por todo el mundo y ha vivido en Ámsterdam y Nueva York. Es interesante, divertido y muy sociable también, y parece que tiene muchísimos amigos. Pero no parece muy organizado. Por ejemplo, ¡me ha dicho que ha perdido muchas veces las llaves de casa!

Erik es muy diferente. Es geólogo y ha estudiado en Boston y en París. Parece bastante tranquilo y dice que le encanta pasear, comer bien… La verdad es que parece más responsable y organizado porque me ha hablado de cosas prácticas del piso, como hacer la limpieza, las compras, los gastos… Me ha parecido un encanto.

¿Tú qué opinas? ¿A quién elijo?

Un beso muy grande.
Raquel

C. 🔊 30 Escucha a Raquel y Rocío. ¿Qué más cosas dice Raquel sobre Alberto y Erik? ¿A cuál elige al final? ¿Por qué?

En inmersión

¿Sabes si en España es habitual compartir piso? ¿A qué edad, aproximadamente, se independizan los / las españoles/as? ¿Es similar en tu país?

Construimos el

ALT|DIGITAL ¿Cómo eres cuando convives con otras personas (tu familia, tu pareja, tus compañeros/as de piso…)? Piensa cinco adjetivos y completa una tabla como esta.

Cómo	Con quién	¿Por qué?
Detallista.	Con mi compañera de piso.	Cuando viajo compro siempre un regalo para ella.

3. UNA NUEVA VIDA /MÁS EJ. 2

A. `ALT` `MAP` Lee este artículo y contesta a las siguientes preguntas.

1. ¿Existen neorrurales en tu país? ¿Y pueblos abandonados?

2. ¿Qué decisión ha tomado Carmen? ¿En qué consiste su nueva vida? ¿Qué actividades hace?

Una nueva vida

Cada vez hay más personas que deciden cambiar de vida e irse al campo, lejos de las comodidades y el estrés de la ciudad. Son conocidas como neorrurales. Son personas que se vuelven a interesar por profesiones casi extinguidas como la de pastor. Muchos plantan huertos, crían animales y vuelven a un estilo de vida más tradicional.

Carmen Ferrer es de Zaragoza. Desde hace medio año vive en un pueblo de montaña en Huesca de tan solo 11 habitantes, donde ha montado una casa rural. Carmen dice que dejar la ciudad ha sido la mejor decisión de su vida.

Un fin de semana de cada mes organiza unas jornadas de meditación en las que participan unas 20 personas, atraídas por el espectacular paisaje del Pirineo. El resto del tiempo, se dedica a atender a la gente que va a la casa rural y a trabajar en su huerto. Ahora, vive una vida tranquila y relajada. No echa de menos la vida en la ciudad.

¿SABÍAS QUE...?

En España hay cerca de 3 000 pueblos abandonados. Algunos de ellos se están repoblando con diferentes iniciativas (ecoaldeas, programas educativos, etc.). Hay unos 40 pueblos en venta en España, la mayoría en el norte del país. En Galicia hay una pequeña aldea a la venta por 59 000 euros, unas tres veces menos de lo que vale un piso normal en Madrid.

B. ¿Conoces experiencias parecidas a la de Carmen?

> • *Sí, cerca de mi ciudad hay un pueblo con muy pocas casas y un grupo de personas que...*

C. ¿Te gustaría ir a vivir al campo? ¿Por qué? Comentadlo en grupos.

D. ¿Cuál crees que ha sido la mejor decisión de tu vida?

4. CUALIDADES Y DEFECTOS /MÁS EJ. 3-8

A. Estos adjetivos sirven para describir la personalidad. ¿Cuáles crees que son cualidades? ¿Cuáles son defectos? ¿Crees que algunos pueden ser cualidades o defectos según la situación?

antipático/a   responsable   egoísta

generoso/a   divertido/a   amable

impuntual   organizado/a   inteligente

impaciente   ambicioso/a   emprendedor/a

tranquilo/a   raro/a   despistado/a

paciente   irresponsable   abierto/a

simpático/a   creativo/a   tímido/a

aburrido/a   puntual   sociable

desorganizado/a

+ CUALIDADES	– DEFECTOS

B. ¿Cuáles de las anteriores cualidades o defectos crees que tienes tú?

- *Yo creo que soy bastante generoso, un poco tímido y muy tranquilo.*

➕ **Para comunicar**

→ Soy un poco tímido/a
      bastante tímido/a
      muy tímido/a

→ No soy nada tímido/a

C. Para ti, ¿cómo tienen que ser las personas que ejercen las siguientes profesiones? Comentadlo en parejas.

- un/a camarero/a
- un/a policía
- un/a maestro/a de escuela
- un/a peluquero/a
- un/a médico/a
- un/a recepcionista
- un/a taxista
- un/a vendedor/a

- *Para mí, un camarero o una camarera tiene que ser, en primer lugar, amable. Eso es lo más importante. Y después…*

5. ALT DIGITAL ¿ERES UNA PERSONA DESPISTADA? /MÁS EJ. 9-15

A. ☰ ALT ☰ MAP Haz este test. Luego, comenta con otras personas si estás de acuerdo con los resultados.

[T E S T] *¿Eres una persona* **des** **pista** **da?**

¿Alguna vez has salido con zapatillas a la calle o te has puesto la ropa del revés sin darte cuenta?
■ **A.** muchas veces ■ **B.** alguna vez ■ **C.** nunca

¿Has olvidado algún documento importante antes de un viaje?
■ **A.** muchas veces ■ **B.** alguna vez ■ **C.** nunca

¿Alguna vez se te ha quemado la comida?
■ **A.** muchas veces ■ **B.** alguna vez ■ **C.** nunca

¿Te has dejado el paraguas alguna vez en la escuela, en la oficina o en casa de otra persona?
■ **A.** muchas veces ■ **B.** alguna vez ■ **C.** nunca

¿Alguna vez has confundido el día o la hora de tu viaje y has perdido el avión o el tren?
■ **A.** muchas veces ■ **B.** alguna vez ■ **C.** nunca

¿Alguna vez has olvidado una cita o te has equivocado de lugar?
■ **A.** muchas veces ■ **B.** alguna vez ■ **C.** nunca

¿Alguna vez has pasado de largo sin saludar a una persona porque no la has visto?
■ **A.** muchas veces ■ **B.** alguna vez ■ **C.** nunca

¿Has perdido una tarjeta de crédito alguna vez?
■ **A.** muchas veces ■ **B.** alguna vez ■ **C.** nunca

[**Mayoría de respuestas A:** Sin duda eres una persona despistada. Intenta no hacer demasiadas cosas a la vez y haz listas de lo que tienes que llevar antes de salir de casa.
Mayoría de respuestas B: No se te puede definir como una persona despistada, pero te puede ir bien apuntar algunas cosas.
Mayoría de respuestas C: No eres una persona nada despistada. ¡Estás siempre muy atento/a a todo y muy concentrado/a en lo que haces!]

B. En el test aparece un nuevo tiempo verbal, el pretérito perfecto, que se forma con el presente de **haber** y el participio del verbo. Subraya los verbos en pretérito perfecto del test.

C. Completa esta tabla con los infinitivos y los participios de los verbos que has encontrado. Luego, completa la norma.

PARTICIPIO: -ADO	PARTICIPIO: -IDO	OTROS
Infinitivo → participio	Infinitivo → participio	Infinitivo → participio
	salir —> salido	

PARTICIPIOS REGULARES

Los infinitivos que terminan en **-ar** forman el participio con la terminación ....

Los infinitivos que terminan en **-er** forman el participio con la terminación ....

Los infinitivos que terminan en **-ir** forman el participio con la terminación ....

D. En parejas, escribid dos preguntas más para el test de A.

6. ¿NO SABES O NO PUEDES? /MÁS EJ. 17

A. Mira las viñetas. ¿Entiendes la diferencia entre "no sé" y "no puedo"?
¿Cómo se expresa lo mismo en tu lengua?

B. Completa estos diálogos usando puedes o sabes.

1. • ¿_____ tocar el piano?

   ○ Sí, he estudiado piano y composición muchos años.

2. • ¿_____ tocar el piano?

   ○ No, ahora no, estoy cansada.

3. • ¿No _____ conducir?

   ○ No, es que no tengo mis gafas aquí.

   • ¿No _____ conducir?

4. ○ No, no tengo el carné.

En inmersión

Piensa en tus habilidades en relación con la lengua y la cultura españolas y escribe ejemplos sobre cosas que sabes o que no sabes hacer, y cosas que puedes hacer o no en España (hablar por teléfono, entender a la gente por la calle...).

C. ¿Sabes hacer estas cosas? ¿Las haces bien? Cuéntaselo a otras personas de la clase.

- cocinar
- dibujar
- nadar
- jugar al ajedrez
- coser

- conducir
- bailar tango / salsa…
- esquiar
- tocar un instrumento

- *Yo sé cocinar bastante bien.*
- *Yo no, yo cocino fatal.*

➕ **Para comunicar**

→ Cocino / Sé cocinar muy bien.
                        bastante bien.
                        bastante mal.
                        muy mal.
                        fatal.

→ No cocino / sé cocinar muy bien.
                          nada bien.

7. ALT|DIGITAL NO TOCA LA BATERÍA NI LA TROMPETA /MÁS EJ. 18

A. ☰ MAP Lee esta descripción del / de la compañero/a de piso ideal para extranjeros/as que quieren vivir en España. ¿Estás de acuerdo? ¿Puedes añadir algo más?

extranjerosen**españa**   sobre nosotros | archivos | categorías | guías

TU "COMPI" DE PISO PERFECTO/A

¿Buscas compañero o compañera de piso en España? Así es la persona perfecta.

- Es limpio/a y organizado/a.
- Sabe cocinar.
- Ha compartido piso alguna vez.
- Es una persona responsable.
- No toca la batería ni la trompeta.

- No trabaja de noche (y no duerme de día).
- Ha vivido fuera de España.
- Es paciente.
- Sabe reparar cosas.
- Tiene pareja, pero no está siempre en casa.

B. Ahora clasifica las frases de la descripción en la siguiente tabla.

Carácter y personalidad	Experiencias	Habilidades	Otros

C. ¿Y para viajar? Escribe seis frases para describir a tu compañero/a de viaje ideal.

MI COMPAÑERO/A DE VIAJE IDEAL

- Es una persona divertida, aventurera y abierta.
- Sabe viajar con poco equipaje.
- Ha hecho autoestop alguna vez.

Léxico

ADJETIVOS DE CARÁCTER

Es...

puntual ≠ impuntual	inteligente
organizado/a ≠ desorganizado/a	creativo/a
divertido/a ≠ aburrido/a	tímido/a
tranquilo/a ≠ nervioso/a	ambicioso/a
responsable ≠ irresponsable	emprendedor/a
sociable ≠ insociable	amable
simpático/a ≠ antipático/a	despistado/a
generoso/a ≠ egoísta	aventurero/a
paciente ≠ impaciente	un encanto
abierto/a ≠ cerrado/a	
limpio/a ≠ sucio/a	
raro/a ≠ normal	

CAMBIOS EN LA VIDA

Dejar la ciudad · el trabajo

Echar de menos la ciudad · el campo · el trabajo

Cambiar de vida · casa · ciudad

Trabajar de fotógrafo/a · camarero/a

Irse a vivir a la ciudad · el campo* · otro país

* a + el = al

PROFESIONES

policía · músico/a · camarero/a

agricultor/a · maestro/a · vendedor/a

médico/a · recepcionista · taxista

HABILIDADES Y CAPACIDADES P. 214

Usamos el verbo **saber** para lo que hemos aprendido (*Sé ruso*) y lo que hemos aprendido a hacer, nuestras habilidades (*Sé tocar la guitarra; Sé conducir*).

Usamos el verbo **poder** para hablar de la capacidad o incapacidad de hacer algo, por motivos físicos (*No puedo leer esto, no llevo las gafas*) o circunstancias de otro tipo (*Puedo hablar ahora, tengo tiempo*).

- ¿**Sabes** conducir?
- Sí, pero ahora no **puedo** porque no tengo aquí las gafas.

Conduce **muy bien**.
Conduce **bastante bien**. = **No** conduce **nada mal**.
Conduce **bastante mal**. = **No** conduce **muy bien**.
Conduce **muy mal**. = **No** conduce **nada bien**.
Conduce **fatal**.

- ¿Conduce bien tu padre?
- No, conduce **fatal**.

Gramática y comunicación

9

HABLAR DE EXPERIENCIAS PASADAS: EL PRETÉRITO PERFECTO
P. 225-226

	PRESENTE DE HABER	+ PARTICIPIO
(yo)	he	
(tú)	has	estado
(él / ella, usted)	ha	tenido
(nosotros / nosotras)	hemos	vivido
(vosotros / vosotras)	habéis	
(ellos / ellas, ustedes)	han	

		PRESENTE DE HABER	+ PARTICIPIO
(yo)	me	he	
(tú)	te	has	levantado
(él / ella, usted)	se	ha	vestido
(nosotros / nosotras)	nos	hemos	
(vosotros / vosotras)	os	habéis	
(ellos / ellas, ustedes)	se	han	

❗ En los verbos pronominales, el pronombre va delante del verbo **haber**: *Marcos **se** ha casado tres veces.* / *Nunca **me** he bañado en un río.*

El pretérito perfecto sirve para hablar de experiencias pasadas sin referirnos a cuándo han ocurrido.

- **He viajado** por todo el mundo.
- ¡Qué suerte!

En muchos casos concretamos cuántas veces hemos tenido esa experiencia.

- ¿Has estado (alguna vez) en América Latina?
- **No**, (no he estado en América Latina) **nunca**.
  Sí, **una vez**.
  Sí, **más de una vez**.
  Sí, **un par de** veces (= **dos** veces / **tres** veces / **cuatro** veces…).
  Sí, **varias** veces / **muchas** veces…

❗ En las frases negativas, siempre tiene que haber una forma negativa (**nunca** o **no**) antes del verbo:
Nunca he estado en Japón. = **No** he estado **nunca** en Japón.
~~He estado **nunca** en Japón.~~

EL PARTICIPIO
P. 226

VERBOS EN -AR: -ADO	VERBOS EN -ER / -IR: -IDO	IRREGULARES
viajado	conocido	**hecho** (hacer)
estudiado	tenido	**dicho** (decir)
enamorado	leído	**escrito** (escribir)
gustado	comido	**puesto** (poner)
hablado	salido	**abierto** (abrir)
estado	vivido	**vuelto** (volver)
escuchado	ido	**roto** (romper)

LOS VERBOS SABER Y PODER
P. 223-225

	SABER	PODER	+ INFINITIVO
(yo)	sé	puedo	
(tú)	sabes	puedes	
(él / ella, usted)	sabe	puede	cocinar
(nosotros/as)	sabemos	podemos	conducir
(vosotros/as)	sabéis	podéis	dibujar
(ellos/as, ustedes)	saben	pueden	

EL GÉNERO DE LOS ADJETIVOS DE CARÁCTER
P. 208-209

Recuerda que los adjetivos pueden ser masculinos (normalmente acabados en **o**) o femeninos (normalmente acabados en **a**). Sin embargo, hay adjetivos que tienen la misma forma para el masculino y para el femenino.

ACABADOS EN -E	ACABADOS EN -ISTA	ACABADOS EN -AL
inteligente	egoísta	puntual
paciente	optimista	especial
responsable	pesimista	normal
amable	realista	leal

8. BUSCA A ALGUIEN QUE... /MÁS EJ. 19

A. Vas a preguntar a tus compañeros/as si han hecho alguna vez las cosas siguientes. Antes de empezar, escribe dos experiencias más.

1. perder las llaves de casa
2. ir a trabajar sin dormir
3. salir en la tele
4. enamorarse a primera vista
5. ganar un premio
6. mentir a un/a amigo/a
7. viajar sin dinero
8. encontrar algo de valor en la calle
9. _____
10. _____

B. Ahora haz las preguntas. Escribe al lado de cada frase el nombre del primero que conteste "sí" (no pases a la siguiente pregunta hasta encontrarlo).

- *¿Has perdido alguna vez las llaves de casa?*
- *Sí, ¡muchas veces!*

9. ALT|DIGITAL EXPERIENCIAS CURIOSAS /MÁS EJ. 20

A. 🔊31 Un programa de radio busca entre sus oyentes a personas con experiencias curiosas. Escucha los testimonios de estas personas y escribe qué experiencias han tenido.

1. **Ana:** _____   3. **Daniel:** _____
2. **Víctor:** _____   4. **Estela:** _____

B. En pequeños grupos, comentad las experiencias de estas personas y comparadlas con las vuestras.

- *Yo nunca he hablado con ningún famoso.*
- *Yo sí, muchas veces. Mis padres tienen un restaurante y muchos famosos van allí.*

C. Graba tu respuesta a la pregunta del programa de A. Luego escucha las de las otras personas de la clase. ¿Os sorprende alguna experiencia? ¿Por qué?

En inmersión

¿Te atreves a hacerle una pequeña entrevista en español a alguien de tu entorno? Puedes escribir preguntas similares a las de las actividades 8 y 9.

10. ALT|DIGITAL YO: MIS EXPERIENCIAS Y MIS HABILIDADES /MÁS EJ. 21, 23

A. Vas a hacer una presentación sobre ti. Primero, haz una lista de experiencias importantes que has tenido y de tus habilidades.

He montado en elefante.

He leído más de cinco veces la novela On the road.

B. Busca fotografías u objetos que ilustren esas experiencias y habilidades, y prepara tu presentación.

YO: MIS EXPERIENCIAS Y MIS HABILIDADES

Hago fotografías de paisajes.

Sé coser.

Sé hacer pulseras de tela y a veces las vendo.

He estado en Tailandia y he montado en elefante.

Patino muy bien: ¡he participado en competiciones internacionales!

He leído más de cinco veces la novela *On the road*.

Sé tocar la guitarra.

C. Cada uno/a hace su presentación en clase. El resto toma notas de la información más interesante.

D. Después de las presentaciones, comenta en clase...
- algo que también sabes hacer.
- algo que no sabes hacer y te gustaría aprender a hacer.
- algo que también has hecho.
- algo que no has hecho nunca y te gustaría hacer.

  • *Yo nunca he estado en Tailandia y me gustaría ir.*

En inmersión

Y en España... ¿qué experiencias importantes, interesantes o divertidas has tenido hasta ahora?

11. CAMBIO DE VIDA /MÁS EJ. 22

A. 〓 **MAP** Imaginad que queréis cambiar de vida y decidís participar en este proyecto en Sarabarri, un pueblo abandonado. Leed el texto. Cada uno/a elige qué quiere hacer en esta nueva vida.

¿Estás cansado de la ciudad? Puedes cambiar de vida en Sarabarri, Navarra.

PROYECTO SARABARRI

Necesitamos:

Comerciantes y vendedores/as
Compran productos de fuera y venden los productos hechos en el pueblo. Son los responsables de las dos tiendas del pueblo.

Camareros/as y cocineros/as
Son los responsables del bar y del restaurante del pueblo.

Maestros/as y profesores/as
Dan clase a los niños y a los adultos. También son responsables de las actividades culturales.

Enfermeros/as y médicos/as
Hacen revisiones médicas, cuidan a los enfermos y hacen de intermediarios con los hospitales más cercanos.

Hosteleros/as
Trabajan en el pequeño hotel del pueblo. También preparan excursiones y otras actividades para los turistas.

Agricultores/as y pastores/as
Trabajan en los huertos y con los animales. Son los responsables de la producción de alimentos para el pueblo y para la venta.

B. Entre todos/as vais a decidir quién va a realizar esos trabajos. Cada uno/a prepara una presentación explicando por qué es el / la candidato/a ideal.

Cómo soy	Estudios
Qué sé hacer	Experiencia laboral

C. Haz tu presentación a la clase. Tus compañeros/as te pueden hacer preguntas.

- *Yo puedo ser maestro porque me gustan mucho los niños. Además, he dado clases particulares y he trabajado en el comedor de una escuela.*
- *¿Eres paciente?*
- *Sí.*
- *¿Has dado clase a adultos?*

D. Entre todos/as, decidid si cada persona es adecuada para el trabajo al que se presenta.

12. UN VIDEOCURRÍCULUM

ANTES DE VER EL VÍDEO

A. ¿Qué cualidades crees que tiene que tener un/a enfermero/a? ¿Y qué tipo de formación y experiencia? Comentadlo en grupos.

VEMOS EL VÍDEO

B. ▶ 12 Ve el videocurrículum de Anna, una enfermera, hasta el minuto 1:14. Toma notas de su formación y su experiencia profesional.

Ha hecho cursos de enfermería.

Es voluntaria en...

C. ▶ 12 Ve el resto del vídeo. ¿Cuáles de estas cualidades y habilidades tiene Anna? Márcalo.

☐ Es polifacética.
☐ Es dinámica.
☐ Es organizada.
☐ Es responsable.

☐ Es divertida y cariñosa.
☐ Es eficiente.
☐ Es comunicativa.
☐ Es sociable.

☐ Es paciente.
☐ Sabe trabajar en equipo.
☐ Sabe adaptarse a distintas situaciones.

DESPUÉS DE VER EL VÍDEO

D. ¿Qué más podéis decir de Anna? ¿Os gusta su videocurrículum?

E. Haz tu propio videocurrículum en español.

Más ejercicios

Este es tu cuaderno de ejercicios. En él encontrarás actividades diseñadas para fijar y entender mejor cuestiones **gramaticales** y **léxicas**. Estos ejercicios pueden realizarse individualmente, pero también los puede usar el / la docente en clase cuando considere oportuno reforzar un determinado aspecto.

También puede resultar interesante hacer estas actividades con otras personas de la clase. Piensa que no solo aprendemos cosas con el profesor o la profesora; en muchas ocasiones, reflexionar con otro/a estudiante sobre cuestiones gramaticales te puede ayudar mucho.

1. Escribe palabras en español que empiecen por estas letras. Puedes usar el diccionario.

A ....

B ....

C ....

D ....

E ....

F ....

G ....

H ....

I ....

J ....

K ....

L ....

M ....

N ....

O ....

P ....

Q ....

R ....

S ....

T ....

U ....

V ....

W ....

Y ....

Z ....

2. Clasifica en la tabla estas expresiones.

¡Adiós!   Buenos días   ¡Hasta mañana!

¿Qué tal?   Buenas tardes   ¡Hasta el lunes!

Buenas noches   ¡Hasta luego!   ¡Hola!

¿Cómo estás?   ¿Cómo andas?

SALUDAR	DESPEDIRSE

3. Escribe dónde trabajan estas personas. Puede haber más de una opción posible.

en un hotel   en una tienda

en un restaurante   en un hospital

en un laboratorio   en una escuela de idiomas

a. un/a profesor/a: ....

b. un/a enfermero/a: ....

c. un/a camarero/a: ....

d. un/a dependiente/a: ....

e. un/a científico/a: ....

f. un/a recepcionista: ....

4. ¿Quién crees que puede decir las siguientes frases? Márcalo con una **x**.

	ÉL	ELLA
a. Soy Julia.	○	○
b. Tengo 42 años.	○	○
c. Soy informática.	○	○
d. Soy español.	○	○
e. Me llamo Marcos.	○	○
f. Soy española.	○	○
g. Tengo 26 años.	○	○
h. Soy profesor de francés.	○	○

5. Piensa en cinco personas que conoces y escribe su profesión y su lugar de trabajo.

a. Mi amigo Serge es dependiente y trabaja en una tienda de ropa.

b.

c.

d.

e.

6. El recepcionista de un hotel te pide tus datos. Completa la conversación.

- Hola, buenos días.
○ Hola.
- Su nombre, por favor.
○

- ¿Nacionalidad?
○
- ¿Profesión?
○
- Muchas gracias.
○ De nada. Hasta luego.

7. Relaciona cada pregunta con la respuesta adecuada.

a. ¿Cómo te llamas?
b. ¿Cuántos años tienes?
c. ¿En qué trabajas?
d. ¿Eres española?
e. ¿Tienes correo electrónico?
f. ¿Tienes móvil?
g. ¿Dónde trabajas?

1. Soy profesora de italiano.
2. Sí, federica25@aula.it.
3. 25.
4. No, soy italiana.
5. Federica.
6. En una escuela de idiomas.
7. Sí, es el 657890345

a	b	c	d	e	f	g
5						

8. Ahora, responde en tu cuaderno a las preguntas de la actividad 7.

9. Completa las preguntas con las palabras que faltan.

a. • ¿ .... te dedicas?

○ Soy estudiante.

b. • ¿ .... te llamas?

○ Alberto.

c. • ¿ .... años tienes?

○ 25.

d. • ¿ .... eres?

○ Soy holandés.

e. • ¿ .... trabajas?

○ Soy enfermero en un hospital infantil.

f. • ¿ .... móvil?

○ Sí, es el 678907348.

g. • ¿ .... mexicano?

○ No, soy español.

10. 🔊 32 Escucha y completa estas palabras con la sílaba que falta.

a. .... briel   **f.** .... pón

b. .... vara   **g.** Ar .... tina

c. .... nea   **h.** .... nebra

d. .... mez   **i.** .... sé

e. .... temala   **j.** .... lio

11. 🔊 33 Escucha las siguientes palabras y repítelas prestando atención a los sonidos de las letras o grupos de letras en negrita. Puedes grabarte con el móvil.

francés   Paco   queso   científica   trece

cocinero   arquitectura   Argentina   jamón

lengua   marroquí

12. Completa estas operaciones matemáticas.

a. Siete ✖ siete = ...

b. Diez ⬭ dos = ...

c. Veinte ⬭ .... = tres

d. Treinta ➕ cinco = ...

e. Nueve ✖ diez = ...

f. Seis ✖ .... = treinta

g. Quince ➕ cuarenta = ...

h. Dieciséis ➕ seis = ...

13. Continúa cada una de estas series con tres números más.

a. tres, seis, nueve, ...

b. doce, catorce, dieciséis, ...
....

c. treinta, cuarenta, cincuenta, ...
....

d. veinte, treinta y cinco, cincuenta, ...
....

e. noventa y dos, ochenta y dos, setenta y dos, ...
....
....

14. 🔊 34 Escucha y marca los números que oyes.

a	b	c	d	e	f	g	h
15	35	38	66	99	58	11	19
50	53	18	76	49	48	21	90

15. ¿Qué profesiones relacionas con estas cosas?

✓ policía   jardinero/a ✓   carpintero/a ✓   albañil

médico/a   cocinero/a ✓   cantante ✓

✓ futbolista   mecánico/a   informático/a ✓

a. futbolista

f. mecánico/a

b. policía

g. informático

c. cantante

h. médico

d. carpintero

i. jardinero

e.

j. albañil

16. Fíjate en estas palabras y en su terminación, y clasifícalas en la tabla y columna adecuadas.

profesor   profesora   secretario   secretaria

portugués   portuguesa   sueco   sueca   *suis?*

estudiante   alemán   alemana   brasileño

brasileña   argentino   argentina   italiano

italiana   cocinero   cocinera   traductor

traductora   periodista   camarero

mas+fem

camarera   belga   japonés   japonesa

USA

estadounidense   futbolista   fotógrafo

fotógrafa

PROFESIONES		
MASCULINO	FEMENINO	MASCULINO Y FEMENINO
camarero	camarera	estudiante

NACIONALIDADES		
MASCULINO	FEMENINO	MASCULINO Y FEMENINO
brasileño	brasileña	estadounidense

17. Completa la tabla.

nationality, name, age, objects name profession

	SER	TENER	LLAMARSE
(yo)	soy	tengo	me llamo
(tú)	eres	tienes	te llamas
(él / ella, usted)	es	tiene	se llama
(nosotros / nosotras)	somos	tenemos	nos llamamos
(vosotros / vosotras)	sois	tenéis	os llamais
(ellos/as, ustedes)	son	tienen	se llaman

18. Completa con la forma correcta de los verbos **ser**, **tener** o **llamarse**.

a.

• Hola, ____soy____ Maia. ____soy____ de Estados Unidos.

◦ Hola, Maia, un placer. Yo _____ Dörte y ella, Svenja. _____ alemanas.

b.

• Laurie, ¿_____ móvil?

◦ Sí, es el 654987321.

c.

• Armin y yo _____ 25 años. ¿Y tú?

◦ Yo _____ 30.

d.

• ¿Vosotros de dónde _____?

◦ _____ franceses. Yo _____ de París y ella _____ de Lyon.

e.

• ¿Cómo _____?

◦ _____ Federico. ¿Y tú?

f.

• ¿Qué edad _____ Lea?

◦ 41 años.

19. Fíjate en este DNI. ¿Qué palabras puedes deducir?

20. Contesta estas preguntas sobre el DNI de la actividad 19.

a. ¿Cómo se llama esta persona?

_____

b. ¿De dónde es?

_____

c. ¿Qué edad tiene?

_____

Más ejercicios

21. Estas son las respuestas de Oliver, un estudiante de español, a una serie de preguntas personales. ¿Cuáles pueden ser las preguntas? Escríbelas.

TÚ

- ¿Cómo te llamas?
- Oliver, Oliver G. Weigle.

- ¿De dónde eres?
- Soy austríaco, de Salzburgo.

- ¿Cuantos años tienes?
- 35 años.

- ¿Cual es tu profesión?
- Soy pintor y escultor.

- ¿Tienes correo electrónico?
- Sí, es oliver2345@yahoo.es.

- ¿Tienes móvil?
- Sí, es el 616331977.

USTED

- ¿Cómo se llama?
- Oliver, Oliver G. Weigle.

- ¿De dónde es?
- Soy austríaco, de Salzburgo.

- ¿Cuantos años tiene?
- 35 años.

- ¿Cual es su profesión?
- Soy pintor y escultor.

- ¿Tiene correo electronico?
- Sí, es oliver2345@yahoo.es.

- ¿Tiene móvil?
- Sí, es el 616331977.

22. Completa las frases con la opción más adecuada.

Soy   Soy de *where*   Tengo

Trabajo en un/a   Trabajo de

a. _Soy de_ Francia.
b. _trabajo en un_ laboratorio.
c. _trabajo de / soy_ cocinera.
d. _soy de_ España.
e. _soy_ brasileña.
f. _soy_ japonés.
g. _soy de_ Roma.
h. _soy_ Gabriel.
i. _trabajo de / soy_ profesor.
j. _Trabajo en una_ escuela.
k. _Tengo_ 23 años.
l. _soy_ Daniela.

23. ¿Con qué otras palabras relacionas estas? Escribe al menos dos.

a. amor: _cariño, corazón_
b. casa: _piso, habitación, apartamento_
c. escuela: _colegio, instituto, universidad_
d. trabajo: _oficina,_
e. viaje: _vacaciones, excusión, hotel_
f. playa: _piscina, mar, ola_
g. aeropuerto: _avión, estación_

24. Busca en internet quiénes son estas personas y completa sus fichas.

Nombre: Claudia Llosa

Profesión: ....

Nacionalidad: ....

Nombre: Antonio Banderas

Profesión: ....

Nacionalidad: ....

Nombre: Rafael Nadal

Profesión: ....

Nacionalidad: ....

Nombre: Gustavo Alfredo Santaolalla

Profesión: ....

Nacionalidad: ....

Nombre: Carlos Pacheco

Profesión: ....

Nacionalidad: ....

Nombre: Sara Baras

Profesión: ....

Nacionalidad: ....

25. Piensa en tres personas importantes para ti y escribe en tu cuaderno un breve texto de presentación. Debes incluir la siguiente información: nombre, edad, nacionalidad y profesión.

Mi mejor amiga se llama...

26. Observa los iconos y escribe debajo de cada uno con qué dos verbos los relacionas.

escuchar   comentar   mirar   escribir

oír   observar   marcar   hablar

....

....

....

....

....

....

....

....

27. Elige diez palabras o expresiones de la unidad importantes para ti y que quieres recordar. Luego, tradúcelas a tu lengua.

28. Clasifica las palabras de la actividad 27 en una tabla como esta.

PALABRAS EN ESPAÑOL QUE EN TU LENGUA SE PARECEN	PALABRAS EN ESPAÑOL QUE EN TU LENGUA NO SE PARECEN

PALABRAS EN ESPAÑOL QUE SE PARECEN A OTRA LENGUA QUE CONOCES

Más ejercicios

1. Relaciona cada imagen con el aspecto con el que está relacionada. Busca información en internet si lo necesitas.

⑤ la comida   ② el cine

⑦ el arte   ④ la naturaleza

③ la música   ⑥ los pueblos y las ciudades

① la literatura

Feria del Libro (Madrid)

Guillermo del Toro

Russian Red

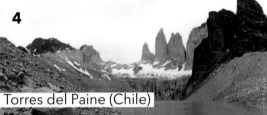
Torres del Paine (Chile)

Guacamole

Medellín (Colombia)

Frida Kahlo

2. Busca en la unidad expresiones con **ir de**, **ir a**, **ir al**, **salir de**, **salir a** y **salir con**. Escríbelas.   al = a + el

- ir de viaje, excursión, compras, cena
- ir a la playa, cenar, comprar, aprender español
- masculino ir al centro, cine, restaurante, colegio
- salir a cenar, pasear, hacer deporte
- salir de cena, noche, fiesta, kompras, pasco
- salir con mi familia, mis amigos, mi pareja

3. Traduce a tu lengua las expresiones de la actividad 2.

4. Traduce estas dos frases a tu lengua. ¿Usas el mismo verbo en los dos casos?

- Quiero aprender español.

- Quiero mucho a mis padres.

5. Completa las frases con **a**, **al**, **de** o **con** cuando sea necesario.

a.

• ¿Quieres ir __al__ cine conmigo?

○ ¡Vale! ¿Qué película quieres ver?

b.

• Este fin de semana quiero salir __con__ mis amigos españoles.

○ ¡Qué buena idea!

c.

• ¿Qué quieres hacer mañana por la noche?

○ Quiero salir __a__ cenar y, después, ir __a__ la discoteca.

d.

• Quiero aprender __X__ otro idioma.

○ Ah, ¿sí? ¿Cuál?

e.

• Mercedes y yo queremos ir __al__ concierto de Rosalía. ¿Quieres ir con nosotras?

○ Sí, claro.

f.

• ¿Tienes planes para este fin de semana?

○ Sí, Eduardo y yo queremos ir __de__ excursión.

6. Forma todas las combinaciones posibles relacionadas con actividades que sirven para aprender un idioma. Escríbelas en tu cuaderno.

ver	una novela
escuchar	un intercambio
leer	la radio
escribir	un libro
practicar	un diario
hacer	con nativos
	música
	series
	una película
	la pronunciación
	un curso de español
	ejercicios
	la televisión

7. Completa este texto con el nombre de las lenguas oficiales de España. Puedes buscar en internet la información que necesites.

España tiene cinco lenguas oficiales: el _____, hablado en todo el territorio, el _____, que hablan en el País Vasco y en Navarra, el _____, que hablan en Cataluña, en Valencia (donde se llama valenciano) y en las Islas Baleares, el _____, hablado en una comarca de Lérida (Cataluña) y el _____, que hablan en Galicia. El _____, el _____ y el _____ son lenguas románicas (proceden del latín). El origen del _____ no está claro.

Más ejercicios

8. ¿Cómo se llaman las lenguas que se hablan en estos países? Puedes buscar en internet.

a. Rusia: _____

b. Italia: _____

c. la República Checa: _____

d. China: _____

e. Brasil: _____

9. Relaciona los elementos de las dos columnas para formar posibles combinaciones de palabras.

a. aprender	◯ muchas fotos
b. leer	◯ hispanohablantes
c. hacer	◯ un pódcast
d. visitar	◯ árabe
e. aprender a	◯ el periódico
f. hablar con	◯ cocinar platos hispanos
g. escuchar	◯ los museos de la ciudad

10. Escribe frases con las combinaciones de palabras de la actividad 9.

a. _____

b. _____

c. _____

d. _____

e. _____

f. _____

g. _____

11. Escribe qué artículos acompañan a las siguientes palabras.

el   la   los   las

a. _____ ciudad

b. _____ museos

c. _____ historia

d. _____ cine

e. _____ guitarra

f. _____ literatura

g. _____ teatro

h. _____ gramática

i. _____ gente

j. _____ playas

k. _____ música

l. _____ comida

m. _____ arte

n. _____ revista

ñ. _____ naturaleza

o. _____ estudiantes

12. Clasifica estas palabras en la tabla y ponles el artículo. Luego, escríbelas en plural, como en los ejemplos.

museo   comida   lengua   mensaje   libro
noche   idioma   diccionario   trabajo   vino
guitarra   película   clase   baile

MASCULINO	
SINGULAR	**PLURAL**
el museo	los museos

FEMENINO	
SINGULAR	**PLURAL**
la comida	las comidas

13. Completa las frases con el artículo más apropiado en cada caso.

1.

- ¿Quieres ir a _un_ restaurante esta noche?
- ¡Sí! _EL_ restaurante indio de mi calle está muy bien.

2.

- Este fin de semana quiero ir a _una_ exposición.
- _En la_ exposición de Picasso en el Museo de Arte Nacional es muy interesante.

3.

- Quiero ver _una_ película española divertida.
- _La_ última película de Álex de la Iglesia es muy divertida.

4.

- Elsa toca _el_ piano, ¿no?
- Sí, y también toca _la_ guitarra y _el_ violín.

toca _always_ _el / la_

14. ¿A qué persona corresponden estas formas verbales? Escribe el pronombre personal de sujeto al lado de cada forma.

a. quieres: _tú_

b. leéis: _vosotros_

c. hace: _él, ella, usted_

d. tengo: _yo_

e. eres: _tú_

f. soy: _yo_

g. hablas: _tú_

h. leen: _ellos/ustedes_

i. escribís: _vosotros_ ~~ellos/ustedes~~

j. bailan: _ellos/ustedes_

k. hago: _yo_

l. queremos: _nosotros_

m. vives: _tú_

n. tienes: _tú_

15. ¿Cuál es el infinitivo de los verbos de la actividad 14? Clasifícalos según su conjugación.

-AR	-ER	-IR
hablar bailar	tener hacer leer querer ser ~~~~	vivir escribir

16. Clasifica los verbos de la actividad 15 en regulares e irregulares.

REGULARES	IRREGULARES
leer hablar escribir bailar vivir	tener ~~vivir~~ querer ~~~~ hacer ser

Más ejercicios

17. Escribe las formas que faltan.

	ESCUCHAR	TRABAJAR	COMPRAR
(yo)	escucho	trabajo	compro
(tú)	escuchas	trabajas	compras
(él / ella, usted)	escucha	trabaja	compra
(nosotros / nosotras)	escuchamos	trabajamos	compramos
(vosotros / vosotras)	escucháis	trab	compráis
(ellos / ellas, ustedes)	escuchan	trabajan	compran

18. Fíjate en el verbo **comer** y escribe las formas de los verbos **leer** y **aprender**.

	COMER
(yo)	como
(tú)	comes
(él / ella, usted)	come
(nosotros / nosotras)	comemos
(vosotros / vosotras)	coméis
(ellos / ellas, ustedes)	comen

	LEER	APRENDER
(yo)		
(tú)		
(él / ella, usted)		
(nosotros / nosotras)		
(vosotros / vosotras)		
(ellos / ellas, ustedes)		

19. Coloca las formas verbales al lado del sujeto correspondiente.

escribís   escribe   escribimos   escribe

escriben   escribo   escribes   escriben

Yo ....

Tú ....

Marta ....

Óscar ....

Manuel y yo ....

Javier y tú ....

Rocío y Tomás ....

Ustedes ....

20. Completa las frases con **por, para** o **porque**.

a. Estudio español _para_ ver series latinoamericanas.

b. Estudio español _para_ viajar por España.

c. Estudio inglés _porque_ trabajo en una empresa estadounidense. *(yo)*

d. Estudio italiano _por_ ~~para~~ amor. Mi novio es de Roma.

e. Estudio chino _porque_ es la lengua más hablada del mundo en la actualidad. *(verb)*

f. Estudio francés _por_ mi trabajo. Soy informático en una compañía francesa.

21. Escribe las posibles razones por las que estas personas quieren estudiar español.

a. Greta

Greta estudia español porque su novia es mexicana.

b. Carl y Daniel

Carl y Daniel estudian Español _porque_ ~~para viajar~~ quieren viajar por España o para viajar

c. Fabio

Fabio estudia español porque ~~su~~ escuchar música ~~en~~ español *(or canciones)*

d. Alina

Alina estudia español por ~~sus~~ *(su)* trabajar or para trabajar

22. Observa las imágenes e indica qué hacen estas personas para aprender español.

a. bailar salsa
b. visitar Buenos Aires cada año
c. cocinar platos españoles
d. escuchar música en español
e. ver películas españolas
f. leer literatura hispanoamericana

SOPHIE

NOAM Y FLORENT

STÉPHANE Y CHLOÉ

ANDREA

ALEXANDER

HENRIQUE

23. Ahora, escribe en tu cuaderno qué hacen las personas de la actividad 22.

Sophie escucha música en español.

24. Completa este anuncio de una página web de intercambios. Pon los verbos adecuados en la forma correcta.

tener   ver   leer   ser   vivir   hablar

llamarse   querer   hacer

Hola, ... Connor y .... 29 años.
.... irlandés, de Dublín. ....
español, pero .... mejorar porque ....
en España. .... muchos libros en
español y .... series y películas
en español, pero quiero .... un
intercambio con un nativo para hablar mejor.

25. Escribe una pregunta para cada respuesta.

a.

• ¿ .... ?

○ Quiero ir a Valencia para ver la ciudad.

b.

• ¿ .... ?

○ Porque quiero trabajar en España.

c.

• ¿ .... ?

○ ¿En clase? Muchas cosas, hablamos de muchos temas, leemos, estudiamos gramática, vemos vídeos, etc.

d.

• ¿ .... ?

○ Veo películas en español, escucho música y hago muchos ejercicios en casa.

26. Relaciona un elemento de cada columna usando **porque** y **para**, y escribe las frases en tu cuaderno.

Quiero aprender español		ver películas españolas.
Quiero vivir con una familia española		quiero ver los cuadros de Goya.
Quiero visitar el museo del Prado	para	hablar con mis amigos de México.
Quiero ir al cine	porque	practicar español en casa.
Quiero ir a Cuba		quiero conocer grupos españoles.
Quiero ir a conciertos		visitar La Habana.

27. Piensa en ciudades o países que quieres visitar y escribe tus razones.

Quiero visitar Roma por la comida y los monumentos.

28. Escribe un anuncio para una página web de intercambios. En el anuncio tienes que...

• presentarte: nombre, nacionalidad, edad y profesión;
• decir las lenguas que hablas;
• explicar las razones por las que estudias español;
• decir por qué quieres hacer un intercambio;
• despedirte.

¿DÓNDE ESTÁ SANTIAGO? 3

1. Elige una de las tres ciudades del texto de la actividad 2A de la página 44 y completa.

a. País:

b. Año o siglo de fundación:

c. Clima:

d. Situación:

e. Población:

f. Lugares de interés turístico:

2. Escribe en tu cuaderno un texto sobre alguna capital, siguiendo esta estructura.

Esta ciudad **es la capital de**…

Está situada en… y **tiene**… **habitantes**.

Tiene lugares de interés turístico, como…

3. Completa esta ficha con datos de España.

Capital:

Lenguas oficiales:

Moneda:

Población:

Clima:

Un producto importante:

Un plato (o una bebida) típico:

Lugares de interés turístico:

4. Conjuga los verbos **ser** y **estar**.

	SER	ESTAR
(yo)	soy	estoy
(tú)	eres	estás
(él / ella, usted)	es	está
(nosotros/as)	somos	estamos
(vosotros/as)	sois	estáis
(ellos/as, ustedes)	son	están

5. Relaciona los elementos de cada columna para formar frases y escríbelas en tu cuaderno.

México está / una ciudad muy turística. (esta)
Valparaíso / en la costa. (es)
Mallorca es / es / una isla. (es)
Lima es / está / en América del Norte. (esta)
Puerto Rico está / la capital de Perú. (es)
Barcelona es / en el Caribe. (esta)

México está en América del Norte.

6. Completa estas frases de manera lógica.

a. Yo **estoy** en Zaragoza

b. En mi país **hay** muchas ciudades y una grande playa Bournemouth

c. Bournemouth **está en** mi país.

d. La ciudad donde vivo **está** en la sur de país Inglaterra

e. La ciudad donde vivo **es** muy precioso y turístico

7. Observa el mapa y escribe frases con **hay**, **es / son**, **está/n**.

a. Ciudad Juárez

México

Cuba

n. playas fantásticas

m. tortugas

Guatemala

Costa Rica

Venezuela

l. petróleo

Colombia

Ecuador

b. ruinas mayas

c. capital: Quito

Perú

Bolivia

k. Cartagena de Indias

Paraguay

d. Machu Picchu

e. lenguas oficiales: español y guaraní

Chile

Uruguay

i. playas de Punta del Este

j. moneda: el boliviano

Argentina

f. Valparaíso

g. bebida típica: mate

h. producto importante: aceite de soja

a. ....

b. *En Guatemala, hay unas ruinas mayas*

c. *Esta ciudad es la capital de Ecuador*

d. ....

e. ....

f. ....

g. ....

h. ....

i. ....

j. *La moneda es el boliviano*

k. ....

l. ....

m. ....

n. *Hay muchas playas fantásticas en cuba*

8. ¿Qué sabes de estos lugares? Escribe frases usando los verbos **ser**, **estar** y **haber**.

a. Perú: ....

....

....

....

b. México: ....

....

....

....

9. Estás de viaje en un lugar que te gusta y escribes un blog. Completa el texto.

RELATO SOBRE MI VIAJE CUARTO DÍA

Aquí todo es .... Hay ....

.... Hoy estamos en

.... , que está en

....

La gente es .... La

comida es .... y el

plato más típico es ....

Hace .... y el clima

es .... Mañana

visitamos .... , que

está en .... Dicen

que es muy ....

Además, allí hay ....

....

Después vamos a ....

....

10. Completa las siguientes frases con **muy**, **mucho/a/os/as**.

a. Santiago de Compostela es una ciudad .... antigua.

b. En Santiago de Compostela hay .... lugares turísticos.

c. En Guatemala hay .... playas maravillosas.

d. En Santiago de Cuba hay .... edificios coloniales.

e. El cobre es un producto .... importante en Chile.

f. Lola cree que la gente de Guatemala es .... simpática.

g. En Guatemala hay .... templos antiguos.

h. En Chichicastenango hay un mercado .... conocido.

11. Completa estas preguntas sobre Bolivia con **qué**, **cuál**, **cuáles**, **dónde**, **cómo**, **cuántos** o **cuántas**.

a.
- ¿ .... está Bolivia?
- En América del Sur. Tiene frontera con Perú, Brasil, Paraguay, Argentina y Chile.

b.
- ¿ .... es el clima de Bolivia?
- Es diferente en cada región: húmedo y tropical, o frío y semiárido.

c.
- ¿ .... es el ajiaco?
- Es un tipo de sopa.

d.
- ¿ .... es la bebida típica?
- La chicha. Es una bebida alcohólica de maíz.

Más ejercicios

e.

- ¿............................ son las ciudades más pobladas?
- Santa Cruz de la Sierra y La Paz.

f.

- ¿............................ habitantes tiene el país?
- Más de 8 millones.

g.

- ¿............................ lenguas oficiales hay?
- Más de 30, entre ellas, el español, el aymara y el quechua.

12. Completa con **qué**, **cuál** o **cuáles**. Después, busca las respuestas en internet y responde a las preguntas.

a.

- ¿............................ es la bachata?
- ....

b.

- ¿............................ son las playas más famosas de Cádiz?
- ....

c.

- ¿............................ son los productos más típicos de Cuba?
- ....

d.

- ¿............................ es el flamenco?
- ....

e.

- ¿............................ es el país más pequeño de América Central?
- ....

f.

- ¿............................ es el río más largo de América del Sur?
- ....

13. Completa las siguientes frases con **el / la / los / las... más... de / del**.

a. Brasil es .... país .... poblado .... Latinoamérica.

b. Australia es .... país con .... canguros .... mundo.

c. En Noruega está .... punto .... al norte .... Europa.

d. Rusia es .... país .... grande .... mundo.

e. El Kilimanjaro, el Everest y el Mauna Kea son .... montañas .... altas .... mundo.

f. Tokio es .... ciudad con .... habitantes .... mundo.

g. Groenlandia es .... isla .... grande .... mundo.

h. .... desierto .... pequeño .... mundo está en Canadá.

i. Ciudad del Vaticano y Mónaco son .... países .... pequeños .... Europa.

j. En Egipto están .... tres pirámides .... famosas .... mundo.

14. Escribe frases sobre estos lugares, como en el ejemplo. Presta atención al género y al número.

a. Madrid   ciudad   poblado/a/os/as   España : *Madrid es la ciudad más poblada de España.*

b. El Amazonas   río   largo/a/os/as   mundo : ....

c. El chino   idioma   hablado/a/os/as   mundo : ....

d. El Monte Elbrús   montaña   alto/a/os/as   Europa : ....

e. Oymyakon y Yakutsk   ciudades   frío/a/os/as   mundo : ....

15. Escribe el verbo adecuado al lado de cada palabra.

es   hace   está   hay

a. .... calor

b. .... frío

c. .... nubes

d. .... nublado

e. .... (un clima) tropical

f. .... (un clima) templado

g. .... viento

h. .... (un clima) seco

i. .... (un clima) húmedo

j. .... (un clima) cálido

16. Traduce a tu lengua las expresiones de la actividad 15. ¿Usas verbos equivalentes? ¿Qué similitudes y diferencias hay con el español?

17. ¿Qué tiempo hace en España? Mira el mapa y completa las frases.

1. En Santiago de Compostela ....

....

2. En Bilbao ....

3. En Huesca ....

4. En Soria ....

5. En Mallorca ....

6. En Sevilla ....

7. En Cádiz ....

18. Completa el siguiente texto sobre el clima en España con **muy**, **mucho**, **muchos**, **muchas**.

> España es un país con _____ climas diferentes. En la zona mediterránea, los veranos son _____ secos, no llueve _____ y no hace _____ frío. En el norte, en general, llueve _____ y las temperaturas son suaves. En el interior, las temperaturas son más extremas: en verano hace _____ calor y en invierno hace _____ frío. En _____ zonas del sur, llueve _____ poco durante todo el año y en verano hace _____ calor.

19. Escribe en tu cuaderno un texto parecido para describir el clima en tu país.

20. ¿Qué palabras relacionas con cada una de las estaciones del año? Escríbelas.

invierno _____

verano _____

primavera _____

otoño _____

21. Completa las frases con las siguientes palabras.

isla   montaña   río   bebida   ciudad   capital   cordillera

a. El Nilo es el _____ más largo de África.

b. Cuba es una _____ del Caribe.

c. El Everest es la _____ más alta del mundo.

d. Bilbao es una _____ del norte de España.

e. La _____ de los Andes está en Sudamérica.

f. Lima es la _____ de Perú.

g. El pisco es una _____ típica de Perú y de Chile.

22. ¿Qué adjetivos se pueden combinar con las palabras de la tabla?

alto/a   frío/a   templado/a   seco/a   típico/a   interesante   precioso/a   bueno/a   húmedo/a   bonito/a   turístico/a   grande   famoso/a   poblado/a   tropical   importante

CLIMA	MONTAÑA	PAÍS	COMIDA

23. Escribe en tu cuaderno seis frases sobre tu país con palabras de las actividades 21 y 22.

En Finlandia el clima es frío.

24. Busca en la unidad palabras y expresiones que se pueden combinar con estos sustantivos. Puedes añadir otros.

a. un país *con pocos habitantes / muy poblado...*

b. un río

c. una lengua

d. una montaña

e. un plato

f. una isla

g. un desierto

h. un clima

i. una ciudad

j. un palacio

25. Lee esta conversación de chat entre Leda, una chica brasileña que quiere visitar España, y Ana, una chica valenciana. Completa las respuestas de Ana. Busca en internet si es necesario.

> **LEDA18:** ¡Hola! Me llamo Leda. Soy brasileña. Voy a España a final de mes. ¿Hay algún español conectado?
>
> **ANA-VLC:** Hola, soy Ana, de Valencia.
>
> **LEDA18:** Hola, Ana. Viajo con un amigo y queremos hacer una ruta por todo el país.
>
> **ANA-VLC:** ¡Qué bien! :)
>
> **LEDA18:** Sí. Primero vamos a Madrid. ¿Qué cosas interesantes hay?
>
> **ANA-VLC:** _____
>
> **LEDA18:** Y también un acueducto romano muy lindo, ¿no?
>
> **ANA-VLC:** Bueno, sí, pero está en Segovia, no en Madrid.
>
> **LEDA18:** ¿Y en España hay parques naturales? Soy bióloga y...
>
> **ANA-VLC:** _____
>
> **LEDA18:** ¿Dónde está?
>
> **ANA-VLC:** _____
>
> **LEDA18:** También queremos ir a Sevilla y visitar la Giralda y la Alhambra.
>
> **ANA-VLC:** Bueno, la Giralda sí está en Sevilla, pero la Alhambra _____
>
> **LEDA18:** ¡Ah, sí! ¡Es verdad! ¿Y hay playas bonitas en España?
>
> **ANA-VLC:** _____
>
> **LEDA18:** ¿Dónde están exactamente?
>
> **ANA-VLC:** _____
>
> **LEDA18:** ¡Perfecto! Muchas gracias, Ana. :)

1. ¿Qué productos compras tú en estos lugares? Puedes añadir otros.

ropa   zapatos   bolsos   libros   artesanía

productos de higiene   perfumes   vinilos

revistas   productos electrónicos

EN UN MERCADO / MERCADILLO	
EN UN SUPERMERCADO	
EN UNA TIENDA	
POR INTERNET	

2. Indica en cada caso si usamos **es** o **es de**.

1 La camiseta **es...**

2 La camiseta **es de...**

- ○ fácil de llevar
- ○ manga corta
- ○ rayas
- ○ blanca
- ○ sencilla
- ○ estampada
- ○ hombre
- ○ manga larga
- ○ marrón
- ○ algodón
- ○ azul
- ○ tirantes
- ○ mujer
- ○ negra
- ○ cómoda
- ○ elegante

3. ◀)) 35 Vuelve a escuchar el diálogo de la actividad 2 (página 58) y apunta en tu cuaderno expresiones para describir ropa, por ejemplo, **es bonita**, **es barata**, etc.

4. Mira las fotos y escribe una breve descripción de cada prenda, como las de la página 58.

a.

....
....
....
....

b.

....
....
....
....

c.

....
....
....
....

d.

....
....
....
....

e.

....
....
....
....

5. Relaciona los elementos de las dos columnas para formar el nombre de varios objetos.

a. carné   ◯ de pelo

b. gafas   ◯ de ducha

c. gel   ◯ de playa

d. pasta   ◯ de identidad

e. secador   ◯ de crédito

f. tarjeta   ◯ de sol

g. toalla   ◯ de dientes

h. cargador   ◯ de móvil

6. Escribe a qué objetos de la actividad 3 (página 59) se refieren estas definiciones.

a. Necesitamos este objeto para sacar dinero del banco: _____

b. Es una prenda de ropa para ir a la playa o a la piscina: _____

c. Llevamos esto en los pies en verano, cuando hace calor: _____

d. Protegen los ojos del sol: _____

7. Elige otras dos palabras de la actividad 3 (página 59) y escribe una definición.

a. ....

....

....

b. ....

....

....

8. Completa las siguientes conversaciones con las formas adecuadas de **tener** o **tener que**.

a.

• (Yo) _____ ir al supermercado, ¿necesitas algo?

◦ No, gracias.

b.

• ¿(Tú) _____ un secador de pelo?

◦ Yo no, pero creo que Teresa _____ uno.

c.

• En octubre vamos a Suecia.

◦ ¿Sí? ¡Qué bien! (Vosotros) _____ llevar ropa de abrigo, que allí hace mucho frío.

d.

• (Nosotros) _____ preparar la excursión de este fin de semana. A ver, ¿qué cosas _____ y qué _____ comprar?

◦ Yo _____ un mapa y creo que Aldo y Victoria _____ dos tiendas de campaña.

e.

• Carlos, ¿llevas cargador de móvil? _____ hacer una llamada importante y no _____ batería.

◦ Claro, toma.

9. Completa la tabla con las formas que faltan.

	TENER	PREFERIR
(yo)	tengo	....
(tú)	....	....
(él / ella, usted)	....	....
(nosotros / nosotras)	....	....
(vosotros / vosotras)	....	preferís
(ellos / ellas, ustedes)	....	....

10. Completa la tabla con las siguientes formas verbales.

vamos   vas   voy   va   van   vais

	IR
(yo)	....
(tú)	....
(él / ella, usted)	....
(nosotros / nosotras)	....
(vosotros / vosotras)	....
(ellos / ellas, ustedes)	....

11. Completa las frases.

a. Esta tarde voy .... Tengo que llevar un bañador, una toalla de playa y protector solar.

b. Este fin de semana vamos .... Tenemos que llevar mochila, agua, ropa cómoda y botas para caminar.

c. Esta tarde voy .... Tengo que llevar un bolso y la tarjeta de crédito.

d. La semana que viene voy .... por trabajo. Tengo que llevar una maleta, ropa, un cargador y el pasaporte.

e. Mañana por la mañana voy .... Tengo que llevar pantalones cortos y las zapatillas deportivas.

f. Después voy .... Tengo que llevar una libreta, un estuche y el libro de español.

12. ¿De qué color es cada cosa?

blanco/a/os/as   amarillo/a/os/as   gris/es

negro/a/os/as   rojo/a/os/as   marrón/ones

azul/es   naranja/s   rosa/s   verde/s

1. La leche es

....

2. El petróleo es

....

3. Los plátanos son

....

4. Las zanahorias son

....

5. El mar es

....

6. Las lechugas son

....

7. El chocolate es

....

8. La sangre es

....

9. Los cerdos son

....

10. Los elefantes son

....

13. Forma el mayor número posible de combinaciones.

	de manga larga
	bonitos
	cortos
	de rayas
	negros
un vestido	de algodón
una camiseta	largo
unos pantalones	elegantes
unos zapatos	estampada
	rojos
	original
	de tirantes

14. ¿Qué lleva Elisa en la maleta? Escribe qué prendas lleva y cómo son.

....

....

....

....

....

....

15. Indica a qué objetos se refieren las frases de la tabla.

a. Las rojas son más originales.

b. Prefiero el rojo.

c. Los rojos son más caros.

d. Prefiero los cortos.

e. El largo es precioso.

f. Las negras son más baratas.

g. El corto es muy barato.

h. Las negras son muy cómodas.

i. La de tirantes es más barata.

j. La roja es de algodón.

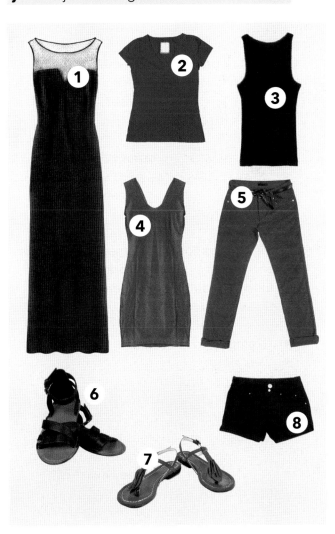

16. Mira en tu armario y anota información sobre tres prendas de ropa que ya no usas.

	NOMBRE DE LA PRENDA	DESCRIPCIÓN
1.		
2.		
3.		

17. Completa con **qué**, **cuál** y **cuáles**.

a.
- ¿ _____ camiseta prefieres?
- No sé, la roja quizás.

b.
- ¿ _____ botas prefieres?
- No sé, quizás estas, pero son muy caras. ¿Y tú _____ prefieres?
- Estas también.

c.
- Mira, estos son los pijamas más bonitos. ¿ _____ compramos?
- El rojo es del estilo de Teresa, ¿no?
- Sí, es verdad.

d.
- ¿Compramos una libreta para Míriam?
- Vale, pero ¿ _____ ?
- No sé, hay muchas.

e.
- Marcos, ¿ _____ me llevo?
- Los azules, son los más bonitos.

f.
- ¿ _____ perfume llevas? Es nuevo, ¿no?
- Sí, se llama Abril. Es un regalo de Álex.

18. Completa estas frases con las terminaciones que faltan.

a.
- No sé qué pantalones llevar a la playa. ¿Cuáles prefieres tú? ¿Est_____ o est_____?
- Los azules, ¿no?
- Sí, son más cómodos...

b.
- Te quiero regalar una pulsera como recuerdo. Mira, tengo dos: ¿cuál prefieres: ¿est_____ o est_____?
- Uy, no sé.

c.
- ¿Qué es est_____?
- Es un cinturón.

d.
- Mira, est_____ son mis botas preferidas.
- ¡Qué bonitas!

e.
- ¿Qué gorro prefieres, est_____ o est_____?
- El azul.

19. Escribe estas cifras en letras.

a. 456 €: *cuatrocientos cincuenta y seis euros.*

b. 267 €: _____

c. 876 £: _____

d. 745 $: _____

e. 578 €: _____

f. 934 £: _____

g. 888 €: _____

h. 134 £: _____

i. 193 $: _____

j. 934 £: _____

20. Escribe en letras el precio de las siguientes cosas.

Una noche de hotel de tres estrellas en tu ciudad: ....
....

Una entrada de cine en tu ciudad: ....
....

Un ordenador portátil nuevo: ....
....

Tu prenda de ropa favorita: ....
....

Una compra en el supermercado para toda la semana: ....
....

21. Completa estas conversaciones con las palabras o expresiones que faltan.

a.

- Buenos días. ¿ _____ bolígrafos?
- ¿Bolígrafos? No, no tenemos.

b.

- Buenos días, _____ unos pantalones.
- ¿ _____ ?
- Negros o azules.

c.

- Perdone, ¿cuánto _____ estos zapatos?
- 74 euros.

d.

- Esta falda roja, ¿cuánto _____ ?
- 50 euros.
- ¿Y esta verde?
- 40 euros.
- Pues _____ la verde.

22. Marta pregunta los precios de muchas cosas. ¿Qué frases usa? Escríbelo.

			bañadores?
		este	sandalias?
	cuesta	esta	paraguas?
¿Cuánto		estos	zapatos?
	cuestan	estas	mochila/s?
			jersey/s?
			biquini/s?
			camisetas?

1
....
....

5
....
....

2
....
....

6
....
....

3
....
....

7
....
....

4
....
....

8
....
....

23. Separa y ordena las intervenciones de dos conversaciones que tienen lugar en tiendas diferentes.

¿Tienen gafas de sol?

62 euros; no son caras.

30 euros; muy barato.

¿Tienen paraguas?

¿Cuánto cuesta este azul?

¿Cuánto cuestan estas negras?

Sí, tenemos todos estos.

A ver... Sí, perfecto, me llevo estas.

A ver... Sí, perfecto, me llevo este.

Sí, tenemos todas estas.

conversación 1

– ¿Tienen gafas de sol?

conversación 2

24. Traduce a tu lengua las siguientes frases. ¿Traduces siempre igual el verbo **llevar**?

- Cuando voy de viaje siempre **llevo** mi ordenador portátil.

- Tengo que **llevar** una toalla porque en el hotel no tienen.

- Casi nunca **llevo** dinero. Siempre uso tarjeta de crédito.

- Rebeca **lleva** un vestido negro muy bonito.

- Los / las médicos/as normalmente **llevan** ropa blanca.

- Martín **lleva** unos zapatos muy caros.

25. Entra en la página de alguna tienda *online* de ropa y elige tres prendas para salir este fin de semana. Descríbelas y calcula cuánto dinero cuestan.

1.

2.

3.

En total cuestan:

26. Describe en tu cuaderno estas prendas:

- La última prenda de ropa que has comprado.

- La prenda de ropa que más usas en verano y la que más usas en invierno.

- Una prenda de ropa o complemento que quieres comprar.

1. Completa las siguientes fichas con la información sobre dos cantantes de tu país.

Lugar de nacimiento: ....

Año de nacimiento: ....

Nombre: ....

Apellido: ....

Nombre de su madre / padre: ....

Hermanos/as: ....

Hijos/as: ....

Título de su primer disco: ....

Aficiones: ....

....

Lugar de nacimiento: ....

Año de nacimiento: ....

Nombre: ....

Apellido: ....

Nombre de su madre / padre: ....

Hermanos/as: ....

Hijos/as: ....

Título de su primer disco: ....

Aficiones: ....

....

2. Relaciona los siguientes adjetivos de carácter con su descripción.

a. sociable

b. tímido/a

c. activo/a

d. aburrido/a

e. hablador/a

f. divertido/a

○ Para él / ella es fácil conocer gente nueva.

○ No hace cosas muy interesantes.

○ Hace reír a la gente.

○ Hace muchas cosas.

○ Habla mucho.

○ Para él / ella es difícil relacionarse con las demás personas y no le gusta ser el centro de atención.

3. Elige dos adjetivos de carácter diferentes a los de la actividad 2 y escribe una definición. Puedes buscar en el diccionario.

.... : ....

.... : ....

4. Completa esta tabla con adjetivos de carácter.

ME GUSTAN LAS PERSONAS...	NO ME GUSTAN LAS PERSONAS...
abiertas	

5. 🔊 36 Escucha y completa la ficha de Carlota. ¿Con qué chica de la actividad 3 (página 73) puede hacer un intercambio?

Nombre: Carlota

Edad: _____

Nacionalidad: _____

Profesión: _____

Lengua materna: _____

Lenguas que quiere practicar: _____

Carácter: _____

Aficiones: _____

Puede hacer un intercambio lingüístico con _____ porque _____ . También puede hacer un intercambio con _____ porque _____ .

6. Lee los textos de la actividad 3A (página 73) y escribe en tu cuaderno un texto parecido con tu descripción.

_____

_____

_____

_____

_____

_____

_____

_____

_____

_____

7. ¿A qué se refieren estas frases? Fíjate en si usan **gusta** o **gustan**.

a. No me gustan mucho.
▢ las fiestas
▢ el flamenco

d. No me gusta nada.
▢ bailar
▢ las discotecas

b. Me gusta mucho.
▢ las películas de acción
▢ el cine

e. Sí, sí que me gusta.
▢ la música electrónica
▢ las canciones de U2.

c. Me encantan.
▢ pasear con mi perro
▢ los perros

f. Me gusta, me gusta.
▢ esta escuela
▢ las clases de español

8. Completa las frases siguientes con uno de estos pronombres: **me, te, le, nos, os, les**.

a. Carla, ¿a ti _____ gusta Jorge Drexler?

b. A mi novio _____ encanta la música clásica, pero a mí no _____ gusta nada.

c. Chicos, a ustedes _____ gusta el flamenco, ¿no?

d. A mis compañeros de piso _____ encanta la música electrónica.

e. Marta, Isa, ¿a vosotras _____ gusta ir a conciertos?

f. A mí _____ gusta mucho la música electrónica, pero a mis amigos no _____ gusta nada.

g. A mi amiga Sara y a mí _____ gusta mucho ir a karaokes. ¡Es muy divertido!

h. A mis padres _____ encantan los vinilos.

i. A nosotras no _____ gusta nada el reguetón.

9. Completa estas frases con los siguientes elementos para hablar de tus gustos.

Me encanta   Me encantan   Me gusta
Me gusta mucho   Me gustan mucho
Me gusta bastante   Me gustan bastante
No me gusta   No me gustan
No me gusta nada   No me gustan nada

a. .... aprender lenguas

extranjeras.

b. .... comprar ropa por internet.

c. .... viajar.

d. .... hablar por teléfono.

e. .... escribir.

f. .... ir de excursión al campo.

g. .... ver series.

h. .... la comida japonesa.

i. .... escuchar la radio.

j. .... las películas románticas.

k. .... las revistas científicas.

l. .... los periódicos deportivos.

m. .... hacer la compra.

10. ¿Eres una persona con los gustos típicos de tu país? Escribe cinco frases para hablar de diferentes temas: deporte, ocio, televisión, comidas, bebidas, vacaciones...

A los ingleses, en general, les interesa mucho el fútbol, pero a mí no me gusta nada.

a. ....

....

b. ....

....

c. ....

....

d. ....

....

e. ....

....

11. Lee estas frases sobre los gustos de una chica, Amelia. Compara sus gustos con los tuyos. ¿Coincidís?

a. Le gustan los deportes acuáticos.

A mí... ....

b. Le gusta leer revistas de ciencia y de naturaleza.

....

c. Le encanta escuchar pódcast.

....

d. Le encanta pasar tiempo sola en casa.

....

e. Le gusta hacer fotos a animales.

....

f. Le gusta usar perfume.

....

g. Le gusta el cine mudo.

....

12. Continúa estas conversaciones.

a. Leo: A Hugo le gusta mucho la música brasileña.

☺ Juan: *A mí también.*

☹ Luisa: ....

☹ Mercedes: ....

b. Tomás: A Susana le encanta hacer deporte.

☺ Juan: ....

☺ Luisa: ....

☹ Mercedes: ....

c. Sam: A mis padres no les gusta nada la televisión.

☹ Juan: ....

☺ Luisa: ....

☺ Mercedes: ....

d. Lea: A mí no me interesa mucho la política.

☺ Juan: ....

☹ Luisa: ....

☹ Mercedes: ....

13. Mira el árbol genealógico de la familia de Paco y Lucía. ¿Quién habla en cada caso?

Paco · Lucía

Javier · Marta · Abel · Luisa

Daniel · Carla

a. No tengo hermanos, pero tengo un primo de mi edad. Se llama Daniel y es el hijo de mi tía Marta, la hermana de mi padre.

Soy ....

b. Tengo 51 años, estoy casada y tengo una hija.

Soy ....

c. Mi sobrina es Carla, la hija del hermano de mi mujer.

Soy ....

d. Me gusta pasar mucho tiempo con mi nieto Daniel. Es un chico muy alegre. Mi mujer dice que es como yo.

Soy ....

14. Ahora completa las preguntas con la palabra y el artículo correspondiente.

a.

• ¿Cómo se llama _____ de Daniel?
◦ Carla.

b.

• ¿Cómo se llama _____ de Marta?
◦ Javier.

c.

• ¿Cómo se llama _____ de Carla?
◦ Paco.

d.

• ¿Cómo se llama _____ de Daniel?
◦ Luisa.

e.

• ¿Cómo se llama _____ de Abel?
◦ Luisa.

f.

• ¿Cómo se llama _____ de Paco?
◦ Daniel.

15. Completa las frases.

a. El hijo de mi tío es mi _____

b. La madre de mi padre es mi _____

c. El hijo de tus padres es tu _____

d. Los padres de nuestra madre son nuestros _____

e. El marido de su tía es su _____

f. Las hijas de mi hermano son mis _____

g. La hija y el hijo de mis padres son mis _____

h. La hermana de mi madre es mi _____

16. Escribe un texto en tu cuaderno para presentar una familia famosa de tu país.

17. Completa las siguientes frases con los posesivos adecuados: **mi**, **mis**, **tu**, **tus**, **su** o **sus**.

a.

• Mira, te presento a _____ hermana pequeña, Pilar. Es la hija de mi padre y de su mujer actual.
◦ Ah, hola, ¿qué tal?

b.

• ¿Cuándo es _____ cumpleaños?
◦ El 3 de mayo.
• ¡Anda! ¡Eres Tauro, como yo!

c.

• ¿Qué haces este año en vacaciones?
◦ Pues descansar y pasar más tiempo con la familia de Víctor: _____ padres, _____ hermana, _____ sobrinos…

d.

• ¿Cuáles son _____ cantantes favoritos?
◦ Pues… Camila Cabello y Ed Sheeran, ¡me encantan!

e.

• ¿Qué tal con Maribel? ¿Ya conoces a _____ familia?
◦ Sí, pero no a toda. Conozco a _____ hermanos, pero a _____ padres no.

f.

• ¿Cómo se llama _____ hermano?
◦ ¿Cuál? Porque tengo dos.
• Ah, sí. El mayor.
◦ Se llama Roberto.

18. Mira las fotografías de Marcelo. Completa sus comentarios usando posesivos.

Con _____ compañeros de clase en Dublín.

Con _____ hermana Laura en el Pirineo.

Con _____ amigo Carlos y _____ novia.

19. ¿Con qué palabras se combinan estos verbos para formar expresiones relacionadas con el aspecto físico? Márcalo.

SER	TENER	
○	○	guapo/a
○	○	feo/a
○	○	bigote
○	○	bajo/a
○	○	los ojos marrones
○	○	el pelo rubio
○	○	moreno/a
○	○	delgado/a
○	○	rubio/a
○	○	el pelo largo
○	○	alto/a

20. Describe físicamente a estas personas.

a. Mireia Belmonte: ....
....

b. Sílvia Pérez Cruz: ....
....

c. Guillermo del Toro: ....
....

21. Pon un acento cuando sea necesario en las palabras en negrita.

a.
- ¿**Te** gusta el café?
- Sí, pero normalmente tomo **te**.

b.
- **Mi** novio escucha mucha música electrónica.
- ¿Ah, sí? A **mi** no me gusta nada.

c.
- ¿**Tu** tocas en un grupo de música con **tu** marido, ¿verdad?
- Sí.

d.
- ¿Este chico es **el** hermano de Laura?
- No, ¡es su novio! Mira, **el** es el hermano de Laura.

e.
- ¿**Que** escuchas?
- Rosalía. Me encanta.
- ¡Pues tenemos **que** ir a un concierto!

f.
- ¿**Como** es tu hermano físicamente?
- Pues **como** yo: bajo, delgado, tiene el pelo negro…

22. Relaciona cada pregunta con la respuesta adecuada.

a. ¿Quién es?

b. ¿Cuál es su deporte favorito?

c. ¿A qué se dedica?

d. ¿Cómo es?

e. ¿Cuál es su cantante favorito?

f. ¿Toca algún instrumento?

g. ¿Qué le gusta hacer en su tiempo libre?

○ Le gusta mucho ir a conciertos. Y también la fotografía.

○ Sí, la guitarra y el piano.

○ Es alto, moreno y tiene barba.

○ Es profesor de música.

○ Mi novio. Se llama Alberto.

○ El baloncesto.

○ Uy, tiene muchos, pero Drexler le encanta.

23. Elige a cinco personas de esta lista y escribe una frase sobre cada una de ellas usando estos verbos.

le gusta…   tiene…   se llama…   vive…   es…

(A) Mi padre

(A) Mi madre

(A) Mi hermano/a

(A) Mi abuelo/a

(A) Mi pareja

(A) Mi mejor amigo/a

(A) Mi jefe/a

(A) Mi compañero/a de piso

a. ....

b. ....

c. ....

d. ....

e. ....

Más ejercicios

1. Mira estas imágenes y escribe cuál es el momento preferido de estas personas. Puedes seguir el modelo de la página 85.

María (sábado)

....
....
....
....

Julia (lunes)

....
....
....
....

Iván (viernes)

....
....
....
....

Manuel (miércoles)

....
....
....
....

Teresa (domingo)

....
....
....
....

2. Clasifica en la tabla los siguientes testimonios según el tipo de persona que lo ha dicho.

a. "Nunca me levanto después de las 08:30".

b. "Los fines de semana siempre me despierto muy tarde porque salgo hasta tarde".

c. "Siempre estudio por la noche".

d. "Normalmente voy al gimnasio por la tarde, pero si no tengo tiempo, voy por la mañana".

e. "Casi nunca salgo de noche porque siempre estoy muy cansada".

f. "A veces salgo por la noche con mis amigos los viernes y los sábados, pero entre semana prefiero no salir porque tengo que levantarme pronto".

g. "Me gusta leer por la noche, antes de acostarme".

h. "Casi todos los días hago yoga de 7 a 8 h".

PERSONAS QUE PREFIEREN EL DÍA	PERSONAS QUE SE ADAPTAN FÁCILMENTE AL DÍA O A LA NOCHE	PERSONAS QUE PREFIEREN LA NOCHE

3. Completa estas frases con los adjetivos adecuados.

dormilón/ona   sano/a   perezoso/a

fiestero/a   trabajador/a   comilón/ona

deportista   casero/a   intelectual

a. A Mateo le encanta salir de noche. Es muy

....

b. Diego es muy _____;
está todo el día en la oficina y cuando vuelve
a casa todavía trabaja más.

c. A Sara le encanta la comida y come mucho.
Es muy _____.

d. Estela es bastante _____:
no fuma, no bebe y hace deporte.

e. Noelia es muy _____,
practica varios deportes: juega al fútbol, hace
surf, va en bici…

f. Mi hijo duerme muchas horas, es un poco
_____.

g. A Virginia no le gusta mucho trabajar.
Es un poco _____.

h. Maite es muy _____: le
encanta leer, ir a exposiciones y conferencias,
ir a la biblioteca…

i. Jaime es muy _____: los
fines de semana prefiere quedarse en casa,
ver una película, pasar tiempo con su pareja…

4. **¿Qué contestan estas personas?**

a. • Perdone, ¿qué hora es?　　`13:10`
　　○ _____

b. • ¿Tienes hora?　　`20:40`
　　○ _____

c. • ¿Qué hora es?　　`12:00`
　　○ No sé… Mira, allí hay un reloj.
　　　Son _____

d. • ¿Son las nueve?　　`08:30`
　　○ No, casi, _____

5. **Escribe preguntas para estas respuestas.**

a. • _____
　　○ Normalmente a las 23 h.

b. • _____
　　○ Las tres y cuarto.

c. • _____
　　○ Creo que a las 21 h, pero no estoy seguro.

d. • _____
　　○ Sí, las 8:30 h.

e. • _____
　　○ Normalmente entre las 19 h y las 20 h.

f. • _____
　　○ A las 14 h.

g. • _____
　　○ Muy temprano. Me gusta madrugar.

h. • _____
　　○ Son las 13 h.

6. 🔊 37 **Escucha el audio de la actividad
6B (página 89) y anota las preguntas que le
hacen a Valeria.**

a. _____

b. _____

c. _____

d. _____

e. _____

f. _____

7. Contesta en tu cuaderno a las preguntas **a**, **b**, **c** y **f** de la actividad 6 con tu información.

8. 🔊 38 Escucha a Caro, una chica cubana que vive en La Habana. Marca las opciones correctas.

TRABAJA...

○ **A** de lunes a viernes, por la noche.

○ **B** de lunes a viernes, de las 8 h a las 17 h, y algunos fines de semana.

○ **C** los fines de semana, de las 8 h a las 17 h.

TRABAJA EN...

○ **A** el Nacional, un hotel de La Habana que no está en el centro de la ciudad.

○ **B** el centro de La Habana, en un teatro.

○ **C** el centro de La Habana, en el Nacional, un hotel.

CARO TAMBIÉN ES...

○ **A** actriz.

○ **B** bailarina.

○ **C** camarera.

ENSAYA...

○ **A** de 20 a 22 h todas las noches de lunes a viernes.

○ **B** de 20 a 24 h todas las noches de la semana.

○ **C** de 20 a 22 h los lunes y los viernes.

EN SU TIEMPO LIBRE...

○ **A** va al cine, a la playa y a bailar.

○ **B** toca en un grupo de música.

○ **C** va a la discoteca con sus amigos.

9. Esta es la rutina de Santiago. Escribe lo que hace y a qué hora.

08:00

08:10

08:20

08:25

09:30

14:00

22:00

00:40

10. Numera las siguientes actividades según el orden en el que las haces normalmente.

○ desayunar
○ hacer deporte
○ levantarte
○ cenar
○ ver a amigos

○ ducharte
○ hacer la compra
○ ver una serie
○ ir a clase / al trabajo
○ comer

11. Completa estas frases para hablar de tus hábitos.

a. Por las mañanas, primero .... y después ....

b. Por la noche, antes de .... , siempre ....

c. Normalmente, primero .... y, luego, ...

d. Los viernes por la tarde, después de .... , ...

e. Todos los días, después de .... , ...

f. Los domingos, antes de .... , siempre ....

g. Cuando vuelvo a casa por la tarde, primero .... y, luego, ...

12. Compara las siguientes costumbres de la familia Sánez con las tuyas o las de tu familia.

Los Sánez…

a. Se levantan a las seis de la mañana.

b. Desayunan sobre las once de la mañana.

c. Los lunes nunca trabajan.

d. Duermen siempre siete horas.

e. Solo trabajan por la mañana.

Yo / Mi familia en general…

a. ....

b. ....

c. ....

d. ....

e. ....

13. Mira la agenda de Berta y completa las frases usando expresiones de frecuencia.

	LUNES	MARTES	MIÉRCOLES	JUEVES	VIERNES	SÁBADO	DOMINGO
Berta	2 Gimnasio Francés	3 Gimnasio Francés	4 Gimnasio Cine	5 Gimnasio Francés	6 Gimnasio Cine	7 Gimnasio Almuerzo con papá	8 Excursión al monte
	9 Gimnasio Francés	10 Gimnasio Francés	11 Gimnasio Cine	12 Gimnasio Francés	13 Gimnasio Cine	14 Gimnasio Almuerzo con papá	15 Excursión a la playa

a. .... va al gimnasio.

b. .... va a clase de francés.

c. .... va al cine.

d. .... come con su padre.

e. .... va de excursión.

Más ejercicios

14. Piensa en tus hábitos y clasifícalos.

BUENOS HÁBITOS (cosas que hago y que son buenas para mí)	MALOS HÁBITOS (cosas que hago, pero que no son buenas para mí)

15. Imagina que puedes tener tu "agenda ideal". Primero, completa esta agenda con actividades. Después, escribe frases en tu cuaderno para explicar con qué frecuencia haces cada actividad.

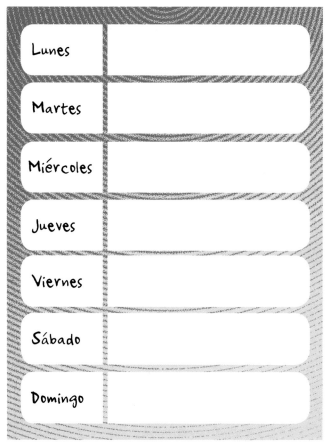

Lunes

Martes

Miércoles

Jueves

Viernes

Sábado

Domingo

16. Escribe qué haces normalmente en estos momentos.

a. los sábados por la mañana:

b. los domingos al mediodía:

c. los viernes por la noche:

d. los lunes por la mañana:

e. los jueves por la noche:

f. los martes por la tarde:

17. Traduce a tu lengua las siguientes expresiones.

a. salir a cenar:

b. salir del trabajo:

c. salir con amigos:

d. empezar a trabajar:

e. hacer la cama:

f. lavarse las manos:

g. lavarse los dientes:

h. jugar al tenis:

i. ir al gimnasio:

j. hacer planes:

k. comer con la familia:

l. cenar fuera:

18. Continúa las series.

a. mañana, tarde, _____

b. desayunar, _____

c. lunes, martes, _____

d. fiestero/a, comilón/a, _____

19. Completa las frases con **de**, **del**, **por**, **a** o **al**.

a. Tengo clase de yoga _____ las siete.

b. Normalmente salgo con mis amigos los sábados _____ la noche.

c. Mi avión sale _____ las seis _____ la tarde.

d. ¿Vas a casa _____ mediodía?

e. _____ la mañana no trabajo.

f. Normalmente como _____ las dos _____ mediodía.

g. Las clases empiezan _____ las diez.

h. Siempre ceno _____ las nueve.

i. Óscar viene hoy a casa _____ las diez _____ la noche.

20. Completa la tabla.

	LEVANTARSE	DUCHARSE
(yo)	me levanto	me ducho
(tú)	te levantas	
(él / ella, usted)		se ducha
(nosotros/as)		
(vosotros/as)	os levantáis	os ducháis
(ellos/as, ustedes)		se duchan

21. Observa cómo se conjuga el verbo **dormir**. Después, conjuga los verbos **volver** y **almorzar**.

	DORMIR
(yo)	duermo
(tú)	duermes
(él / ella, usted)	duerme
(nosotros / nosotras)	dormimos
(vosotros / vosotras)	dormís
(ellos/as, ustedes)	duermen

	VOLVER	ALMORZAR
(yo)		
(tú)		
(él / ella, usted)		
(nosotros/as)		
(vosotros/as)		
(ellos/as, ustedes)		

22. Completa los cuadros con las formas que faltan.

	E - IE PREFERIR	E - I VESTIRSE
(yo)	prefiero	me visto
(tú)		
(él / ella, usted)		
(nosotros/as)	preferimos	
(vosotros/as)		os vestís
(ellos/as, ustedes)		

23. ¿Cuál es el infinitivo de estos verbos?

a. tengo: _____
b. quiero: _____
c. vuelve: _____
d. pido: _____
e. pongo: _____

f. empieza: _____
g. prefieren: _____
h. vas: _____
i. salgo: _____
j. hago: _____

24. Imagina que buscas piso para compartir y eres una de las personas seleccionadas. Antes de decidirse, el propietario del piso te escribe este mensaje. Léelo y contéstale.

Recibidos ×

http://mail.com ≡

Hola:

Antes de tomar una decisión, te tengo que hacer algunas preguntas para conocer tus horarios y tus hábitos. ¿Me puedes contar cómo es un día normal para ti? ¿Qué haces normalmente en el piso? ¿Comes y cenas siempre en casa? Perdón por hacerte tantas preguntas, pero es que para mí es importante conocerte un poco. Ah... y podemos vernos también. ¿Qué te parece el jueves por la tarde?

¡Gracias y hasta pronto!

25. Elige a un personaje de ficción que te guste. Busca una imagen del personaje y escribe cómo es y cuáles son sus hábitos.

....

....

....

....

....

....

....

....

....

....

....

26. ¿Qué cosas crees que hacen estas mujeres los fines de semana? Escríbelo.

a. Vanesa

Es muy casera.

....

....

....

....

b. Carmen

Es muy fiestera.

....

....

....

c. Montse

Lleva una vida muy sana.

....

....

....

d. Valentina

Es muy intelectual.

....

....

....

....

1. Escribe a qué alimentos de las páginas 98-99 se refieren estas definiciones.

a. Es un plato típico de España. Lleva patatas, huevo y, a veces, cebolla: ....

b. Es el ingrediente principal de los bocadillos. Hay de muchos tipos: integral, con cereales, blanco…: ....

c. Son embutidos: .... y ....

d. Es un tipo de marisco: : ....

e. Es una bebida alcohólica. Puede ser tinto, blanco o rosado: ....

2. Haz una lista con los alimentos que te gustan más de cada uno de estos tipos.

Verduras	Carnes	Pescados y mariscos

Frutas	Cereales y legumbres	Bebidas

3. Piensa en un día normal para ti y escribe lo que comes.

Desayuno: ....

Comida / almuerzo: ....

Merienda: ....

Cena: ....

4. Completa estas frases con información sobre ti. Después, compara con otra persona de la clase. ¿Tenéis cosas en común?

a. Mi plato o alimento favorito es ....

b. Mi comida favorita del día es .... porque ....

c. No me gusta/n nada ....

d. En mi nevera siempre hay ....

e. El / Los alimento/s que más como es / son ....

f. En las comidas normalmente bebo ....

g. Me gustaría probar ....

Más ejercicios

5. Imagina que tienes que elegir, entre los platos de este menú, lo que van a comer dos personas que conoces bien. Luego, presenta tus opciones en clase y explica por qué.

MENÚ

• **Para empezar**
Ensalada con queso roquefort y nueces
Sopa de verduras
Paella
Espaguetis a la boloñesa
Gazpacho

• **Plato principal**
Pollo asado con verduras a la plancha
Verduras salteadas con tofu
Hamburguesa del chef
Merluza a la plancha
Huevos fritos con patatas fritas y jamón

• **Postres**
Flan
Helado
Fruta del tiempo
Yogur griego con miel
Tiramisú

Menú para: ....
....
....
....
....

Menú para: ....
....
....
....
....

6. Combina los elementos de las dos columnas para crear platos posibles. Escríbelos en tu cuaderno.

zumo de	atún
sopa de	manzana
ensalada de	patatas
bocadillo de	limón
tortilla de	queso
empanada de	tomate
tarta de	pollo
helado de	

– zumo de manzana

7. ¿En qué lugar de un menú pondrías estos platos? Clasifícalos en la tabla.

sopa de cebolla   pasta al pesto   lentejas

salmón al horno con patatas   guacamole

curri de verduras con arroz   atún a la plancha

tarta de chocolate   queso con miel

salchichas con patatas   humus

ENTRANTE	
PLATO PRINCIPAL	
POSTRE	

8. Piensa en tu restaurante favorito y escribe el nombre de dos platos que hay en su carta y los ingredientes que llevan.

Mi restaurante favorito se llama Il Giardinetto. Mis platos favoritos de la carta son la pasta con setas y el tiramisú. La pasta lleva macarrones, setas...

9. Marca quién habla en cada caso.

a. ¿Te traigo un vaso de agua con el café?

☐ camarero/a ☐ cliente/a

b. ¿Me puede traer un vaso de agua con el café?

☐ camarero/a ☐ cliente/a

c. ¿Me traes la cuenta, por favor?

☐ camarero/a ☐ cliente/a

d. ¿Le traigo la cuenta o quiere otro café?

☐ camarero/a ☐ cliente/a

e. ¿Me pone una cerveza?

☐ camarero/a ☐ cliente/a

f. ¿Te pongo algo más?

☐ camarero/a ☐ cliente/a

10. Completa el diálogo con las siguientes palabras y expresiones.

¿y después?	la cuenta, por favor
primero	con patatas	una cerveza
para beber	yogur	lleva	sin gas
un poco de	de postre

- Hola, buenos días.
- ○ Buenos días.
- ¿Ya lo saben?
- ○ Sí, mire, yo, ..., quiero gazpacho.
- ▪ ¿Qué .... la ensalada griega?

- Tomate, queso, aceitunas negras y .... orégano.
- ▪ Pues, para mí, una ensalada griega.
- Gazpacho y ensalada. Muy bien. ....
- ▪ Para mí, hamburguesa ....
- ○ Y para mí, merluza a la plancha.
- Y, ¿qué les pongo .... ?
- ○ ...., por favor.
- ▪ Yo quiero agua fría ....
(...)
- ¿Desean alguna cosa .... ?
- ○ ¿Qué hay?
- Hoy tenemos ...., helado de chocolate y flan.
- ○ Yo quiero helado.
- ▪ Yo, flan.
(...)
- ○ ....
- Ahora mismo.

11. Estas son las respuestas de algunos/as clientes/as y camareros/as en un restaurante. ¿Cuáles pueden ser las preguntas en la forma **tú**? ¿Y en **usted**? Escríbelas.

a.
- tú: ....
- usted: ....
- ○ Helado de vainilla o macedonia de frutas.

b.
- tú: ....
- usted: ....
- ○ Sí, ahora mismo. ¿Blanco o tinto?

c.
- tú: ....
- usted: ....
- ○ Una cerveza, por favor.

d.
- tú: ....
- usted: ....
- ○ Sí, un poco más de pan, por favor.

e.

- tú: _____
- usted: _____
- ○ Para mí, espaguetis a la boloñesa. Para él, la lasaña de verduras.

12. Completa las frases con **a**, **con** o **de**.

a. ¿Tomás el té _____ leche o _____ limón?

b. Normalmente desayuno yogur natural _____ fruta.

c. ¿Quieres zumo _____ naranja?

d. ¿Tenéis tortilla _____ patatas?

e. ¿Me trae una botella de agua _____ gas y una cerveza?

f. Quiero un bocadillo _____ jamón serrano, por favor.

g. Un café solo _____ hielo, por favor.

h. ¿Tienen helado _____ chocolate?

i. ¿La carne viene _____ arroz?

j. De postre queremos pastel _____ chocolate y queso fresco _____ miel.

13. ¿A qué se refieren? Márcalo.

a. Lo compro en el mercado.

   ▢ la carne
   ▢ las verduras
   ▢ el pescado

b. ¿**Los** pones en la nevera?

   ▢ la leche
   ▢ los plátanos
   ▢ las patatas

c. ¿**La** tomas caliente?

   ▢ la cerveza
   ▢ el zumo de limón
   ▢ los refrescos

d. Las preparo siempre al vapor.

   ▢ el pescado
   ▢ los huevos
   ▢ las verduras

14. Vuelves del supermercado con estas cosas. ¿Dónde las pones: en el armario, en la nevera o en el congelador? Escríbelo en tu cuaderno.

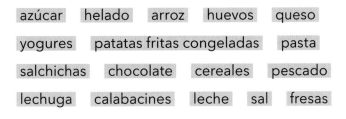

azúcar   helado   arroz   huevos   queso
yogures   patatas fritas congeladas   pasta
salchichas   chocolate   cereales   pescado
lechuga   calabacines   leche   sal   fresas

El azúcar lo pongo en el armario.

15. 🔊 39 Eric habla de su dieta. Escúchalo y luego escribe las respuestas a estas preguntas usando los pronombres **lo**, **la**, **los**, **las**.

a. ¿Dónde compra el pan?

_____

b. ¿Cómo cocina los cereales?

_____

c. ¿Toma té o café? ¿Cómo lo toma?

_____

d. ¿Cómo cocina normalmente las verduras?

_____

e. ¿Dónde compra las algas?

_____

16. Entrevista a una persona de tu entorno (familia, pareja, amigos/as…) y escribe aquí sus respuestas.

- ■ Persona entrevistada:

- ■ ¿Cómo toma el café o el té?

- ■ ¿En qué momento del día lo toma?

- ■ ¿Dónde compra el café o el té?

17. Estos son algunos de los platos preferidos de Martina. Complétalos con las terminaciones de los adjetivos que faltan.

a. La carne asad_____ de mi abuela.

b. El sushi (pescado crud_____ con arroz).

c. Los huevos frit_____ con jamón.

d. El pescadito frit_____.

e. Las patatas guisad_____ con chorizo.

f. El pollo asad_____ con patatas frit_____.

g. Espinacas cocid_____ con patatas.

h. Verdura saltead_____ al estilo *thai*.

18. Lee las definiciones y escribe a qué hacen referencia. Puede haber más de una opción.

a. Es uno de los ingredientes de la tortilla de patatas. Es de origen animal: _____

b. Lo necesitamos para cortar la carne o pelar la fruta y la verdura: _____

c. Algunas personas toman el té con esta fruta: _____

d. Es de color blanco y la usamos para cocinar: _____

e. Son unas legumbres muy pequeñas de color marrón: _____

f. Es un cereal y es el ingrediente principal de la paella: _____

g. Normalmente la usamos para tomar vino: _____

Más ejercicios

19. Sigue el ejemplo de la actividad 18 y escribe la definición de cuatro alimentos.

a. ....

b. ....

c. ....

d. ....

20. Piensa cinco alimentos que son básicos en tu dieta. Después, escribe en tu cuaderno cómo sueles consumirlos.

Café

Todos los días tomo café para desayunar. Lo tomo con leche y en una taza grande. A veces, también lo tomo con galletas...

21. Relaciona estas comidas con un adjetivo.

> **a.** chile con carne
>
> **b.** pastel de chocolate
>
> **c.** ensalada de lechuga con tomate
>
> **d.** pescado cocido sin sal
>
> **e.** jamón serrano

○ soso/a
○ picante
○ dulce
○ ligero/a
○ salado/a

22. Ahora completa los diálogos con los adjetivos **soso**, **dulce**, **picante** y **salado**, en femenino, masculino, singular o plural, según corresponda.

soso   dulce   picante   salado

a.
• ¿Te gusta la comida india?
○ No sé... ¿No es todo muy .... ?

b.
• ¡Cuatro cucharadas de azúcar! ¡Qué exagerada!
○ Sí, el café me gusta muy ....

c.
• ¿Quieres patatas? Están un poco .... , pero están buenísimas.
○ No, gracias. Tengo prohibido comer cosas con mucha sal.

d.
• ¿Cómo están los macarrones? ¿No están un poco .... ?
○ No, para mí están perfectos. Me gusta comer con poca sal.

23. Escribe en tu cuaderno el nombre de más alimentos que relacionas con los sabores de la actividad 22. Puedes buscar en el diccionario.

24. Piensa en un plato típico de tu país y completa la ficha.

Nombre: ....

Es típico de: ....

Ingredientes: ....

Lo tomo: ....

25. Relaciona cada imagen con el texto correspondiente.

- ◯ Es una salsa muy famosa en todo el mundo. Lleva huevos, aceite, vinagre o limón y sal.
- ◯ Es un plato típico de Asturias. Lleva judías blancas y embutidos.
- ◯ Es uno de los platos españoles más conocidos. Lleva huevos, patatas y, a veces, cebolla.
- ◯ Es un postre típico de Cataluña. Lleva huevos, leche y azúcar.

26. Busca en internet información sobre estos platos y completa las fichas.

a. Pisto manchego

Qué lleva

....

....

....

Dónde lo comen

....

....

b. Enchilada

Qué lleva

....

....

....

Dónde lo comen

....

....

27. Completa este cuadro con palabras y expresiones de esta unidad que crees que son útiles para ti.

¡A COMER!

Comidas
Bebidas
Expresiones relacionadas con el restaurante
Platos del mundo hispano

Más ejercicios

1. Relaciona las expresiones que contienen la palabra **barrio** con sus características correspondientes.

A un barrio moderno

B un barrio con pocos servicios

C un barrio histórico

D un barrio mal comunicado

E un barrio con mucha vida

F un barrio ruidoso

○ Tiene edificios antiguos, normalmente los más representativos de la ciudad.

○ Es de construcción reciente.

○ No tiene muchos transportes públicos (autobús, metro, tranvía…).

○ Hay mucho tráfico, muchos locales de ocio nocturno (bares, discotecas…) y mucha gente.

○ No hay suficientes escuelas, tiendas, servicios médicos, etc.

○ Mucha gente va a pasar su tiempo libre a este tipo de barrio, porque hay bares, tiendas, restaurantes…

2. Mira las fotos de estos barrios y usa los recursos de la actividad 1A de la página 113 para describirlos en tu cuaderno.

La Barceloneta (Barcelona)

La Boca (Buenos Aires)

3. ¿Qué puedes hacer en estos lugares? Relaciona.

a. un polideportivo

b. una tienda de ropa

c. un bar

d. un supermercado

e. un cajero

f. una zona peatonal

g. un *parking*

○ pasear
○ sacar dinero
○ hacer la compra
○ tomar un café
○ hacer deporte
○ aparcar el coche
○ comprar un jersey

4. Completa las frases con las siguientes palabras.

monumentos   casco antiguo   bonita
ambiente nocturno   clima   restaurantes

a. Sevilla es una ciudad muy alegre y ....

b. En Sevilla hay muchísimos .... y sitios para visitar, como la Torre del Oro.

c. El .... en Sevilla es muy bueno, casi siempre hace sol.

d. Montevideo tiene un .... muy lindo, con monumentos y lugares de interés turístico.

e. En Montevideo hay muchos .... donde se come muy bien.

f. El mercado del puerto, en Montevideo, es un lugar con mucho ....

5. ¿Conoces barrios (de cualquier ciudad) con estas características? Escribe los nombres.

a. Es moderno y antiguo a la vez.

....

b. Es muy caro.

....

c. Tiene mucha vida, tanto de día como de noche.

....

d. Hay mercados populares de artesanía.

....

e. Viven muchos artistas y hay galerías de arte.

....

f. Tiene mucho encanto.

....

6. Escoge la opción correcta en cada caso.

1.
- ¿Sabes si hay (1) .... supermercado por aquí?
- Sí, hay (2) .... en la esquina.

(1) a. Ø
    b. uno
    c. un

(2) a. uno
    b. ninguna
    c. algún

2.
- Perdona, ¿hay (3) .... farmacia por aquí?
- Pues no, no hay (4) ....

(3) a. la
    b. alguno
    c. alguna

(4) a. una
    b. ninguna
    c. alguna

3.
- ¡No hay (5) .... banco en este barrio!
- Claro que sí. Mira, en esa esquina hay (6) ....

(5) a. algún
    b. ningún
    c. uno

(6) a. uno
    b. un
    c. algún

4.
- ¿Sabes si hay (7) .... biblioteca en este barrio?
- Uy, hay (8) ....

(7) a. la
    b. ninguna
    c. alguna

(8) a. varias
    b. ninguna
    c. uno

5.
- ¿En este barrio no hay (9) .... estación de metro?
- Sí, hay (10) .... en la plaza, al lado del supermercado.

(9) a. alguna
    b. ninguna
    c. un

(10) a. uno
     b. una
     c. Ø

6.
- ¿Sabes si hay (11) .... *parking* en esta zona?
- Pues me parece que no hay (12) ....

(11) a. Ø
     b. ninguno
     c. algún

(12) a. alguno
     b. ninguno
     c. ningún

Más ejercicios

7. Completa estas frases con los siguientes cuantificadores. Usa solo uno de estos cuantificadores en cada frase. En algún caso, puede haber más de una opción.

bastantes   pocas   bastante   pocos

muchas   demasiados   ningún   ninguna

a. Me gusta mucho mi barrio porque hay
_____ parques para pasear.

b. No me gusta mi barrio porque tiene
_____ zonas verdes. ¡Quiero
más parques en mi barrio!

c. Mi barrio tiene _____ vida: hay
bares, restaurantes, cines, lugares de interés
turístico… ¡Me encanta vivir aquí!

d. Me gusta vivir en mi barrio porque tiene
_____ plazas donde mis hijos
pueden jugar.

e. Vivo en el centro de la ciudad. Me gusta
mi barrio, pero siempre hay _____
turistas.

f. En mi barrio no hay _____
supermercado.

g. Me gusta mi barrio porque es tranquilo y hay
zonas verdes, pero no hay _____
escuela.

h. Mi barrio es muy moderno: hay muy
_____ edificios antiguos.

8. Piensa en tu barrio o en otro que conozcas bien y completa las ideas siguientes.

Es un barrio ideal...

para _____

porque _____

para gente _____

porque _____

si te gusta/n _____

porque _____

9. Ordena las distancias.

[1] [2] [3] [4] [5] [6] [7]

◯ (bastante) lejos   ① muy lejos

◯ muy cerca   ◯ un poco lejos

◯ aquí al lado   ◯ (bastante) cerca

◯ aquí mismo

10. Fíjate en el dibujo y completa las frases.

cerca   al lado   a la izquierda   en
a la derecha   lejos

a. El banco está _____ la calle Princesa.

b. La biblioteca está _____ de un parque.

c. La estación de metro está _____ del restaurante.

d. El bar está _____ del restaurante.

e. El gimnasio está _____ del hospital.

f. La escuela está _____ del gimnasio.

11. Escribe en la tabla expresiones para dar información sobre la ubicación de algo.

ESTÁ...	
A	**EN**
a la derecha (de)	en la plaza

12. Completa estas conversaciones con la preposición adecuada: **a**(l), **de**(l), **en**, **por**.

a.

- Perdone, ¿hay una gasolinera .... aquí cerca?
- Sí, mire, hay una .... 200 metros, al final .... paseo marítimo.

b.

- Esta tarde voy a visitar a mis padres.
- Viven .... un pueblo, ¿no?
- Sí, pero está solo .... 40 kilómetros.

c.

- ¿Un cajero, por favor?
- Pues .... la siguiente esquina hay uno.

d.

- ¿Está muy lejos la parada de autobús?
- No, ... dos minutos de aquí.

e.

- ¿Sabes si hay algún hotel .... este barrio?
- Sí, hay uno .... la plaza del Rey, ... final de esta calle.

13. Completa las frases.

a. Mi casa está lejos de ....
....

b. Cerca de mi casa hay ....
....

c. El supermercado donde compro normalmente está ....
....

d. Al lado de mi casa hay ....
....

e. En mi calle hay ....
....

14. Escribe una pregunta posible para cada una de estas respuestas. Imagina que estás al lado de tu escuela de español.

a.

- ....
- Cerca no. Hay uno, pero está un poco lejos.

b.

- ....
- Sí, al final, en la esquina.

c.

- ....
- No, no mucho. A unos diez minutos.

d.

- ....
- Sí, sigues todo recto por esta calle y giras la primera a la derecha.

e.

- ....
- No, no hay ninguna.

f.

- ....
- Un poco, a unos quince minutos.

g.

- ....
- Sí, hay una al final de esta calle.

h.

- ....
- Sigues todo recto por esta calle y está al final.

15. 🔊 40 Sitúate mentalmente a la entrada de tu casa. Escucha las preguntas que hacen estas personas y escribe tu respuesta.

a. ....

b. ....

c. ....

d. ....

16. Completa esta tabla. Puede haber más de una opción en algunos casos.

SUSTANTIVOS	ADJETIVOS
ruido	ruidoso/a
	tranquilo/a
cultura	
	aburrido/a
	céntrico/a
modernidad	

17. Clasifica las siguientes palabras y expresiones en la tabla.

avenida, bloque de pisos, banco, bar, biblioteca
calle, casa, cine, escuela, estación de metro
farmacia, gimnasio, hospital, mercado, paseo
parada de autobús, piso, plaza, restaurante, supermercado
universidad, gasolinera, centro comercial, polideportivo, tienda de ropa

COMERCIOS Y SERVICIOS	VÍAS	VIVIENDA

EDUCACIÓN Y CULTURA	SALUD Y DEPORTE	TRANSPORTE

18. Completa este texto con **está**, **hay** o con la forma adecuada del verbo **ser**.

Zaragoza .... entre Barcelona y Madrid, y .... muy bien situada porque pasa el tren de alta velocidad que va de Barcelona a Madrid. Además, también .... cerca de los Pirineos. Una de las cosas que más me gustan de Zaragoza .... que hay tres ríos. El más impresionante .... el Ebro. También .... edificios muy bonitos, como la basílica del Pilar, la Seo (la catedral) o el museo Pablo Gargallo.

19. Imagina que alguien que conoces va a visitar pronto tu ciudad. Lee su mensaje y contéstale en tu cuaderno.

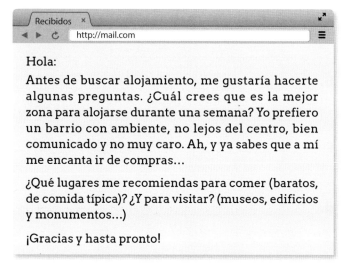

Hola:

Antes de buscar alojamiento, me gustaría hacerte algunas preguntas. ¿Cuál crees que es la mejor zona para alojarse durante una semana? Yo prefiero un barrio con ambiente, no lejos del centro, bien comunicado y no muy caro. Ah, y ya sabes que a mí me encanta ir de compras...

¿Qué lugares me recomiendas para comer (baratos, de comida típica)? ¿Y para visitar? (museos, edificios y monumentos...)

¡Gracias y hasta pronto!

20. Describe en un pequeño texto tu ciudad preferida.

1. Describe a tu compañero/a de piso o a alguien con quien convives.

Mi compañero de piso es muy despistado porque siempre pierde las llaves de casa.

....

....

....

....

....

2. Busca en el texto de la página 129 ejemplos de uso de estos verbos. Luego, añade otros ejemplos.

a. cambiar de: ....

b. irse a: ....

c. dejar: ....

d. dedicarse a: ....

e. echar de menos: ....

3. ¿Qué cualidades son las más importantes para ti en estas personas?

Un/a jefe/a tiene que ser:

....

....

....

....

....

....

Un/a compañero/a de trabajo tiene que ser:

....

....

....

....

....

....

Un/a profesor/a tiene que ser:

....

....

....

....

....

....

....

Un/a amigo/a tiene que ser:

....

....

....

....

....

....

....

4. Lee el horóscopo maya, subraya los adjetivos que aparecen en el texto y clasifícalos según tu opinión. Puedes buscar en el diccionario si lo necesitas.

MURCIÉLAGO (Tzootz)
26 de julio / 22 de agosto

Color: negro **Verbo:** "descubrir" **Estación del año:** el invierno **Número:** el 1

Son luchadores, fuertes y decididos. Les gusta dar órdenes y tomar decisiones. Están muy seguros de sí mismos y, a veces, son autoritarios. Primero actúan y luego piensan. Les gusta trabajar solos. Son excelentes políticos, empresarios, escritores y humoristas.

ALACRÁN (Dzec)
23 de agosto / 19 de septiembre

Color: dorado **Verbo:** "observar" **Estación del año:** el otoño **Número:** el 2

A primera vista, inspiran respeto. Son muy reservados y no manifiestan sus sentimientos. Prefieren pasar inadvertidos. Cuando conocen a alguien, lo analizan con detenimiento. Tienen una memoria de elefante. Son agradecidos y justos, pero también vengativos. Trabajan bien en cualquier oficio. Como son organizados y metódicos, son excelentes en tareas administrativas.

VENADO (Keh)
20 de septiembre / 17 de octubre

Color: naranja y amarillo **Verbo:** "seducir" **Estación del año:** el principio de la primavera **Número:** el 3

Son los más sensibles del zodíaco. Son frágiles y se asustan con facilidad. Cuidan mucho su imagen. Tienen talento para el arte y detestan la rutina. Necesitan cambiar y crear.

LECHUZA (Mona)
18 de octubre / 14 de noviembre

Color: azul intenso **Verbo:** "intuir" **Estación del año:** el otoño **Número:** el 4

Son los brujos del zodíaco maya: pueden leer el pensamiento, anticiparse al futuro y curar dolores del cuerpo y del alma con una caricia o una infusión de hierbas. Al principio son tímidos, pero cuando toman confianza son bastante parlanchines. Les gusta la noche. Destacan en medicina, psicología y, en general, en las ciencias naturales.

PAVO REAL (Kutz)
15 de noviembre / 12 de diciembre

Color: irisado **Verbo:** "yo soy" **Estación del año:** la primavera **Número:** el 5

Tienen alma de estrella de cine. Son extrovertidos, sociables, carismáticos y seductores. Les gusta ser el centro de atención en todo momento. Una de sus armas es el humor. En el trabajo, prefieren puestos de liderazgo: les encanta dar órdenes y tener gente a su cargo. Necesitan destacar. Son excelentes comunicadores.

LAGARTO (Kibray)
13 de diciembre / 9 de enero

Color: el verde **Verbo:** "cambiar" **Estación del año:** el verano **Número:** el 6

Su gran pregunta es "¿Quién soy?". Están en constante cambio, su personalidad es multifacética. Son generosos, sencillos, metódicos y ordenados, pero necesitan mucho tiempo para tomar decisiones. Son personas inteligentes, analíticas, de buena memoria y con capacidad para el estudio. Pueden llegar a ser grandes científicos.

MONO (Batz Kimil)
10 de enero / 6 de febrero

Color: el lila **Verbo:** "divertir" **Estación del año:** el comienzo del verano **Número:** el 7

Son felices si tienen algo que descubrir, si viven nuevas aventuras o sienten nuevas emociones. Su mente es tan inquieta como su cuerpo: no paran de pensar. Hacer reír es su especialidad y siempre encuentran el lado gracioso de las cosas. Tienen fama de inconstantes: en el amor son inestables y cambian muchas veces de trabajo. Odian sentirse esclavos de la rutina.

HALCÓN (Coz)
7 de febrero / 6 de marzo

Color: el violeta **Verbo:** "poder" **Estación del año:** el verano **Número:** el 8

Desde niños, tienen una personalidad definida y un carácter fuerte. De jóvenes, son ambiciosos: buscan su triunfo profesional y no descansan hasta conseguirlo. Tienen una mente despierta y un gran sentido del deber y de la responsabilidad. A partir de los 50 años, su vida cambia: ya no les interesan las cosas mundanas y comienzan su búsqueda espiritual. Son buenos políticos y diplomáticos.

JAGUAR (Balam)
7 de marzo / 3 de abril

Color: el rojo **Verbo:** "desafiar" **Estación del año:** el final del verano **Número:** el 9

Son personas apasionadas y directas. Saben lo que quieren y siempre lo consiguen. Son valientes y altruistas. Son seductores y, de jóvenes, cambian mucho de pareja. No se casan fácilmente. Tienen un espíritu nómada. Necesitan sentir pasión en su vida profesional y, si se aburren, cambian de trabajo.

ZORRO (Fex)
4 de abril / 1 de mayo

Color: el marrón oscuro **Verbo:** "proteger" **Estación del año:** el comienzo del otoño **Número:** el 10

Han nacido para amar. Muchas veces se olvidan de sus propias necesidades y deseos para ayudar a los demás. Sienten el dolor de los demás como propio. Su modo de vida es sencillo, sin grandes ambiciones. Son muy buenos para trabajar en equipo. Tienen muchas cualidades para ser abogados, jardineros o médicos.

SERPIENTE (Kan)
2 de mayo / 29 de mayo

Color: el azul verdoso **Verbo:** "poseer" **Estación del año:** el invierno **Número:** el 11

Aman el lujo, el confort y el refinamiento. Son elegantes por naturaleza y suelen tener un buen nivel económico. Tienen fama de ambiciosos. Aunque son competidores leales, es mejor no interponerse en su camino. Para ellos, lo importante no es la profesión, sino destacar en ella. Por su capacidad de observación tienen talento para las letras.

ARDILLA (Tzub)
30 de mayo / 26 de junio

Color: el verde limón. **Verbo:** "comunicar". **Estación del año:** el final del otoño. **Número:** el 12

Son los más parlanchines del zodíaco. No saben guardar un secreto. Son sociables y excelentes para las relaciones públicas. Son personas activas y pueden hacer varias cosas al mismo tiempo. Cambian muy rápido de opinión. Son excelentes vendedores y triunfan en el mundo del espectáculo.

TORTUGA (Aak)
27 de junio / 25 de julio

Color: el verde esmeralda **Verbo:** "amar" **Estación del año:** el verano **Número:** el 13

Son hogareños y pacíficos. Evitan los riesgos y no confían en los resultados fáciles. Disfrutan más las cosas cuando han luchado para conseguirlas. Son conservadores, creen en la buena educación y en la ética, y son nobles por naturaleza. Destacan en las carreras humanísticas y en las que les permiten ayudar a los demás (médicos, enfermeros, profesores, etc.). Su paciencia y perseverancia les asegura el éxito en cualquier profesión.

CUALIDADES	DEFECTOS

5. ¿Qué signo del horóscopo maya prefieres para estas personas? Escribe por qué.

	SIGNO DEL HORÓSCOPO MAYA	MOTIVOS
tu pareja		
un/a amigo/a		
un/a compañero/a de trabajo		
tu jefe/a		
un/a compañero/a de piso		

6. Escribe qué hacen las personas con estas características.

a. Una persona puntual: ....

....

b. Una persona cerrada: ....

....

c. Una persona ambiciosa: ....

....

d. Una persona generosa: ....

....

e. Una persona creativa: ....

....

f. Una persona emprendedora: ....

....

g. Una persona limpia: ....

....

h. Una persona desorganizada: ....

....

7. Describe el carácter de una persona importante para ti.

....

....

....

....

8. Describe el trabajo que hacen estas personas.

a. un/a médico/a: *cura a las personas enfermas.*

b. un/a taxista: ....

c. un/a veterinario/a: ....

d. un/a maestro/a: ....

e. un/a vendedor/a: ....

f. un/a camarero/a: ....

g. un/a peluquero/a: ....

h. un/a recepcionista: ....

i. un/a policía: ....

9. Traduce a tu lengua las siguientes expresiones del test de la página 131. ¿Qué similitudes y diferencias observas?

a. perder el avión: ....

b. perder el tren: ....

c. perder la tarjeta de crédito: ....

d. olvidar un documento: ....

e. olvidar una cita: ....

f. equivocarse de día: ....

g. equivocarse de lugar: ....

10. Escribe los participios de estos verbos.

escribir: ....

gustar: ....

hablar: ....

tener: ....

ser: ....

comprar: ....

poner: ....

hacer: ....

encontrar: ....

ver: ....

escuchar: ....

estar: ....

ir: ....

conocer: ....

volver: ....

decir: ....

11. En la actividad 10 hay seis participios irregulares. ¿Cuáles son?

a. .... **d.** ....

b. .... **e.** ....

c. .... **f.** ....

12. Completa la tabla con las formas que faltan.

	PRESENTE DE **HABER**	+ PARTICIPIO
(yo)	he	
(tú)	....	
(él / ella, usted)	ha	estado
(nosotros / nosotras)	....	tenido
(vosotros / vosotras)	....	vivido
(ellos / ellas, ustedes)	....	

13. Escribe cuatro frases sobre lo que has hecho últimamente. Usa cinco de los participios de la actividad 10.

a. ....
....

b. ....
....

c. ....
....

d. ....
....

14. Relaciona de la manera más lógica las frases de arriba con las explicaciones de abajo.

a. Es un tenista muy bueno.

b. Conoce muchos países.

c. Tiene mucha experiencia como conductor.

d. Habla ruso perfectamente.

e. Es una escritora conocida.

f. Es un cocinero muy bueno.

◯ Ha viajado mucho.

◯ Ha trabajado en varios restaurantes importantes.

◯ Ha escrito muchas novelas.

◯ Ha ganado muchos premios.

◯ Ha sido taxista durante años.

◯ Ha vivido en Moscú 10 años.

15. Continúa estas frases usando el pretérito perfecto.

a. Conoce toda América Latina ....

....

b. Sabe muchas cosas sobre España ....

....

c. Es un actor muy famoso ....

....

d. Habla inglés muy bien ....

....

e. Es una profesora muy buena ....

....

16. 🔊41 En una entrevista radiofónica a un cantante, los oyentes han enviado sus propias preguntas. Relaciona las preguntas con las respuestas. Luego, escucha y comprueba.

Preguntas

a. ¿Has dicho muchas mentiras en tu vida?

b. ¿Qué es lo más raro o lo más exótico que has comido en tu vida?

c. ¿Cuál de los países en los que has actuado te ha gustado más?

d. ¿Has pensado alguna vez en cambiar de profesión?

e. ¿Has sacrificado muchas cosas en tu vida por tu profesión?

Respuestas

1. He actuado en Venezuela varias veces y siempre ha sido especial allí... Me encanta Venezuela.

2. No, mentir, no; alguna vez, muy rara vez, he dicho una verdad a medias... Pero eso no es malo, ¿no?

3. Sí, claro, he pasado poco tiempo con mi familia.

4. Sí, a veces lo he pensado... Pero ¿cuál? Me gusta ser cantante.

5. No sé... ¡Ah, sí! Un helado de pescado. En Japón.

a.	b.	c.	d.	e.

Más ejercicios

17. Completa las frases con las formas correctas de **poder** o **saber**.

a. Yo creo que .... enviar el currículum a esta empresa; tienes el perfil que piden para este trabajo.

b. ¿Hoy .... ir a buscar a Andrés a la escuela? Es que yo estoy ocupada.

c. No .... comer esto, es que estoy enferma y solo .... comer arroz.

d. Sandra .... tocar el piano, ha estudiado durante muchos años en el conservatorio.

e. No .... ir a natación hoy porque tengo mucho trabajo.

f. Tomás .... hacer pan. ¡Y es buenísimo!

g. Lorena, me han dicho que ....dibujar. ¿ ....dibujar un elefante aquí?

h. No .... tocar ningún instrumento, pero me gusta mucho la música y canto en un grupo.

i. Nieves .... bailar muy bien, te .... dar clases de salsa.

18. Completa esta descripción del / de la compañero/a de piso ideal con la forma correcta de los verbos **ser**, **saber** y **tener**.

Mi compañero/a de piso ideal

– .... ordenado/a y limpio/a.

– No .... perros ni gatos.

– .... cocinar muy bien.

– .... arreglar cosas.

– No .... pareja.

– .... generoso/a y detallista.

19. ¿Has hecho las cosas de la lista? Escribe frases como en el ejemplo, usando las siguientes expresiones.

muchas veces   varias veces   nunca

una vez   dos / tres / cuatro… veces

casarse: *Me he casado una vez.*

hablar con un/a famoso/a: ....

ir en avión: ....

cambiarse de casa: ....

viajar solo/a: ....

viajar por trabajo: ....

hacer una entrevista de trabajo: ....

ganar un premio: ....

comprar ropa por internet: ....

ir a un festival de música: ....

ir a un *spa*: ....

salir en la televisión: ....

20. Piensa en una persona famosa y escribe en tu cuaderno qué ha hecho. Después, cuéntaselo a tu compañero/a, que tendrá que adivinar de qué persona hablas.

Ha dirigido algunas películas muy famosas...

21. Este es el estudio de Carolina de la Fuente. ¿Qué puedes decir sobre ella?

22. 🔊 42 Gabriela quiere participar en el proyecto Sarabarri. Escucha y completa.

a. Experiencia profesional:

b. Habilidades:

c. Cualidades:

23. Completa el siguiente mapa mental.

MIS CUALIDADES	MIS DEFECTOS

YO

MIS HABILIDADES	MIS EXPERIENCIAS INTERESANTES

MÁS GRAMÁTICA

Cuando tengas una duda gramatical o quieras entender mejor una regla, puedes consultar este resumen. En él, los contenidos no están ordenados por unidades, sino por temas y categorías gramaticales.

Además de leer atentamente las explicaciones, fíjate también en los ejemplos para entender cómo se utilizan las formas lingüísticas en la comunicación real.

Más gramática

A	**a**	E	**e**	I	**i**	M	**eme**	P	**pe**	T	**te**	X	**equis**
B	**be**	F	**efe**	J	**jota**	N	**ene**	Q	**cu**	U	**u**	Y	**ye**
C	**ce**	G	**ge**	K	**ca**	Ñ	**eñe**	R	**erre**	V	**uve**	Z	**zeta**
D	**de**	H	**hache**	L	**ele**	O	**o**	S	**ese**	W	**uve doble**		

Atención

- Las letras tienen género femenino: **la a**, **la be**...
- En algunos países de Latinoamérica, las letras **be** y **uve** se llaman **be larga** o **be alta** y **ve corta** o **ve baja**.

LETRAS Y SONIDOS

‣ En general, a cada letra le corresponde un sonido y a cada sonido le corresponde una letra, pero hay casos especiales.

UN SONIDO Y VARIAS LETRAS

[g] → **ga**, **gue**, **gui**, **go**, **gu**

Delante de **a**, **o** y **u** se escribe **g**: **ga**to, **go**rro, **gu**star.

Delante de **e** y de **i**, ese sonido se transcribe colocando después de la **g** una **u** muda (la **u** no se pronuncia): **gue**rra, **gui**tarra.
La **u** suena únicamente cuando lleva diéresis: **bilingüe**, **lingüística**.

[x] → **ja**, **je** / **ge**, **ji** / **gi**, **jo**, **ju**

La **j** corresponde siempre al sonido [x]. Para transcribir ese sonido con **a**, **o** y **u**, siempre se escribe **j**: **ja**món, **jo**ven, **ju**ego.

Con **e** y con **i**, a veces se escribe **j** (**je**fe, **ji**nete...) y, a veces, **g** (sin **u**): **ge**neral, **ge**nte, **gi**mnasio... No hay una regla para saber si se debe escribir **ge** o **je**, **gi** o **ji**; tienes que conocer la palabra.

[k] → **ca**, **que**, **qui**, **co**, **cu**

Delante de **a**, **o**, **u** y al final de una sílaba se escribe **c**: **ca**sa, **co**pa, **cu**ento, a**c**to.

Qu también corresponde al sonido [k]. Solo se usa **qu** (nunca **q** sola) seguido de **e** o **i**: **que**so, **quí**mica.

La **k** también se pronuncia [k]. Se usa muy poco, generalmente solo en palabras procedentes de otras lenguas: **ki**lo, Ira**k**.

[s] → **sa**, **se**, **si**, **so**, **su** y también **za**, **ce**, **ci**, **zo**, **zu**

No hay una regla para saber si se escribe **s** o **z** / **c**; tienes que conocer la palabra: **ca**sa**r**, **ca**za**r**, **Se**na, **ce**na, **si**en, **ci**en, **ca**so, **ca**zo...

Atención

En algunas zonas de España, **sa**, **se**, **si**, **so**, **su** y **za**, **ce**, **ci**, **zo**, **zu** se pronuncian de manera diferente:

[s] → **sa**, **se**, **si**, **so**, **su**   [θ] → **za**, **ce**, **ci**, **zo**, **zu** ([θ] se pronuncia ahí como la **th** de *nothing* en inglés)

[θ] → **za**, **ce**, **ci**, **zo**, **zu**

Este sonido es propio únicamente de algunas zonas de España. Si va seguido de **a**, de **o**, de **u** o al final de una sílaba (**za**pato, **zo**na, **zu**rdo, pa**z**), se escribe con **z**. Delante de **e** e **i** se escribe con **c**: **ce**ro, **ci**en.

Más gramática

[b] → **b**, **v**

La **b** y la **v** se pronuncian igual: **b**arco, **v**aso, **b**igote, **v**ivir.

[rr] → **r**osa, **r**ata, pe**rr**o, ma**rr**ón, hon**r**ado

[r] → pa**r**a, pe**r**o, po**r**, t**r**es

Las grafías **r** / **rr** corresponden a un sonido fuerte [rr] al comienzo de la palabra (**r**ueda), después de **n**, **s** o **l** (En**r**ique, Is**r**ael, al**r**ededor) y cuando se escribe doble entre vocales (a**rr**oz, ca**rr**o).

En los demás casos, la grafía **r** corresponde a un sonido suave [r]: ca**r**o, t**r**en, amo**r**.

La **y** la **ll** (que es diferente de la **l**) se pronuncian igual: ca**ll**o, ca**y**o, ra**y**a, ra**ll**a. La **ll** tiene diferentes pronunciaciones según las regiones, pero casi todos los hablantes de español la producen de manera semejante a la **y** de *you* en inglés: [j].

EL SONIDO DE ALGUNAS LETRAS

La **ch** es solo un sonido, se pronuncia [tʃ], como *chat* en inglés: **ch**ica, **ch**ocolate.

La **w** se usa solo en palabras procedentes de otras lenguas. Se pronuncia como **gu** o **u** (**w**eb) y, a veces, como **b**: **w**áter.

Atención

Estos son los únicos casos de consonantes dobles en español:

ll se pronuncia con un único sonido, [j]: **ll**uvia.

rr se pronuncia con un único sonido, [rr]: ca**rr**o.

cc se pronuncia con dos sonidos, [ks] / [kθ]: a**cc**ión.

nn: se pronuncia con dos sonidos, [nn]: i**nn**ovación.

LA ACENTUACIÓN

▸ En español, todas las palabras tienen una sílaba más fuerte que las otras: la sílaba tónica. En algunos casos, la vocal de la sílaba tónica lleva un acento gráfico (´), pero no siempre: vi-**vir**, **vi**-vo, can-**ta**-mos, **can**-to, **can**-tas, can-**tás**, **co**-mo, co-**me**-mos, des-**pier**-to, des-per-**ta**-mos, can-**ción**, te-**lé**-fo-no...

▸ Normalmente, las palabras que solo tienen una sílaba no llevan acento: **plan**, **dos**, **me**, **es**, **son**, **tres**, **va**, **a**, **y**... Algunas palabras de una sola sílaba sí se acentúan para diferenciarlas de otras que se escriben igual. Estos son algunos casos:

mi (posesivo): *Mi madre.*	**mí** (pronombre personal): *A mí me gusta.*
tu (posesivo): *Tu madre.*	**tú** (pronombre personal): *¿Tú te llamas Marcelo?*
te (pronombre): *¿Te gusta?*	**té** (sustantivo): *¿Quieres té o café?*
el (artículo): *El hijo de Juan.*	**él** (pronombre personal): *Él es de Bélgica.*
que (conjunción): *Creo que Jaime está de vacaciones.* **que** (pronombre relativo): *¿Este es el cantante que te gusta?*	**qué** (pronombre interrogativo): *¿Qué quieres?*

REGLAS DE ACENTUACIÓN

▸ Para saber si una palabra se escribe con acento gráfico, hay que tener en cuenta dos cosas: en qué letras termina la palabra y la posición de la sílaba tónica (contando las sílabas desde el final de la palabra).

SI LA PALABRA TERMINA EN...	CONTANDO LAS SÍLABAS DESDE EL FINAL, LA SÍLABA TÓNICA ES LA...		
	1.ª (PALABRAS AGUDAS)	2.ª (PALABRAS LLANAS)	3.ª (PALABRAS ESDRÚJULAS)
vocal (-a, -e, -i, -o, -u), -as, -es, -is, -os,-us -an, -en, -in, -on, -un	LLEVA ACENTO: can-ción, es-tás, a-quí	NO LLEVA ACENTO: ca-sa, li-bro, a-bro, pon-go, pa-ra, a-mi-gos, de-por-tis-ta	SIEMPRE LLEVA ACENTO: te-lé-fo-no prác-ti-co Mé-xi-co
cualquier otra letra	NO LLEVA ACENTO: ven-de-dor, co-mer	LLEVA ACENTO: ár-bol, a-zú-car, ál-bum	

LOS NUMERALES

▸ De 0 a 30, los números se escriben en una sola palabra.

0	cero	11	once	21	veintiún(o/a)
1	un(o/a)	12	doce	22	veintidós
2	dos	13	trece	23	veintitrés
3	tres	14	catorce	24	veinticuatro
4	cuatro	15	quince	25	veinticinco
5	cinco	16	dieciséis	26	veintiséis
6	seis	17	diecisiete	27	veintisiete
7	siete	18	dieciocho	28	veintiocho
8	ocho	19	diecinueve	29	veintinueve
9	nueve	20	veinte	30	treinta
10	diez				

Atención

El número 1 tiene tres formas:

un, cuando va antes de un sustantivo masculino: *Tiene **un** hermano.*
uno, cuando va solo y se refiere a un sustantivo masculino: *¿Tienes un bolígrafo rojo? Necesito **uno.***
una, cuando precede o se refiere a un sustantivo femenino: *¿Tienes **una** hoja de papel? Necesito **una.***

▸ A partir de 30, los números se escriben en varias palabras. Entre las decenas y las unidades siempre se escribe **y**: **treinta y uno**, **cuarenta y dos**, etc.

31	treinta y un(o/a)	36	treinta y seis	40	cuarenta	80	ochenta
32	treinta y dos	37	treinta y siete	50	cincuenta	90	noventa
33	treinta y tres	38	treinta y ocho	60	sesenta	100	cien
34	treinta y cuatro	39	treinta y nueve	70	setenta		
35	treinta y cinco						

▸ En los demás casos no se usa **y**: **ciento dos** (102), **trescientos cuatro** (304), **mil veinte** (1020), **trescientos cuarenta y seis mil** (346 000).

Más gramática

101	**ciento** un(o/a)	1000	mil
102	**ciento** dos	2000	dos mil
...		...	
200	doscientos/as	10 000	diez mil
300	trescientos/as	...	
400	cuatrocientos/as	100 000	cien mil
500	**quinientos**/as	200 000	doscientos/as mil
600	seiscientos/as	...	
700	**sete**cientos/as	1 000 000	un millón
800	ochocientos/as	2 000 000	dos millones
900	**nove**cientos/as	1 000 000 000	mil millones

▸ Las centenas concuerdan en género con el sustantivo al que se refieren: **doscientos euros** / **doscientas libras**.

▸ Si **cien** lleva detrás decenas o unidades, se usa **ciento**: **ciento cinco** (105), **ciento ochenta** (180).

▸ **Cien** solo se usa para una centena completa (100) o si se combina con **mil**, **millones**, **billones**...: **cien mil** (100 000), **cien millones** (100 000 000).

▸ **Mil** no varía: **mil** (1000), **dos mil** (2000), **diez mil** (10 000), etc.

▸ Con los millones se usa **de**: **cuarenta millones de habitantes** (40 000 000), pero no se coloca esta preposición si hay alguna cantidad después del millón: **cuarenta millones trescientos mil euros** (40 300 000 €).

EL GÉNERO Y EL NÚMERO DE SUSTANTIVOS Y ADJETIVOS

EL GÉNERO

▸ En español, solo hay dos géneros: masculino y femenino.

EL GÉNERO DE LOS SUSTANTIVOS

▸ Son masculinos los sustantivos que terminan en **-o**. Existen pocas excepciones: **la mano**, **la moto(cicleta)**, **la foto(grafía)**...

▸ En general, son también masculinos los sustantivos que terminan en **-aje** (**pais**aje, **vi**aje, **tr**aje) y **-or** (**col**or, **am**or, **sab**or...).

▸ En general, son femeninos los sustantivos que terminan en **-a**, excepto **el día**, los sustantivos de origen griego terminados en **-ema** y **-oma** (**el problema**, **el idioma**) y algunos otros (**el mapa**, **el pijama**, **el clima**...).

▸ Son femeninos los sustantivos terminados en **-ción** o **-sión** (**can**ción, **profe**sión), **-dad** o **-tad** (**ciu**dad, **ver**dad, **amis**tad...) y **-ez** (**timid**ez).

▸ Los sustantivos que terminan en **-e** o en otras consonantes pueden ser masculinos o femeninos: **la nub**e, **el hombr**e, **el** o **la cantant**e, **el árbol**, **la miel**, etc.

+ Para saber más

Las palabras de género femenino que comienzan por **a** o **ha** tónica llevan el artículo **el** en singular, pero el adjetivo va en femenino: **el agua clara**, **el aula pequeña**. En plural, funcionan de forma normal: **las aguas claras**, **las aulas pequeñas**.

EL GÉNERO DE LOS ADJETIVOS

‣ Los adjetivos tienen que concordar en género (y número) con su sustantivo: **el cocinero creativo**, la **casa pequeña**.

‣ Muchos adjetivos tienen una forma masculina que termina en **-o** y otra femenina que termina en **-a**: buen**o** / buen**a**, alt**o** / alt**a**, list**o** / list**a**.

‣ Otros adjetivos tienen una forma masculina que termina en **-(d)or** y otra femenina que termina en **-(d)ora**: **trabajador**, **trabajadora**, **soñador**, **soñadora**, etc.

‣ Los adjetivos que terminan en **-e**, **-ista** o en consonante solo tienen una única forma: hombre / mujer **inteligente**, chico / chica **sociable**, amigo / amiga **egoísta**, trabajador / trabajadora **capaz**, motivo / razón **principal**.

EL NÚMERO DE LOS SUSTANTIVOS Y DE LOS ADJETIVOS

‣ Los plurales de sustantivos y adjetivos en español que terminan en vocal se forman añadiendo **-s**: perr**o** → perro**s**, alt**a** → alta**s**.

‣ Los plurales de sustantivos y adjetivos que terminan en consonante se forman añadiendo **-es**: pla**n** → plan**es**, autobú**s** → autobus**es**, norma**l** → normal**es**.

‣ Los sustantivos y adjetivos que terminan en vocal átona + **-s** no cambian para formar el plural: lune**s** → lune**s**.

> **Atención**
>
> Cuando un sustantivo o un adjetivo termina en **-z**, su plural se escribe con **c**: pe**z** → pe**ces**.

LOS ARTÍCULOS

LOS ARTÍCULOS INDETERMINADOS Y LOS SUSTANTIVOS SIN ARTÍCULO

‣ Cuando hablamos por primera vez de una cosa o de una persona, usamos los artículos indeterminados (**un**, **una**) o el sustantivo sin artículo:

- *Hay **un** coche en la esquina.*
- *Hay Ø gente en la esquina, ¡qué extraño!*
- *Hay Ø coches de policía y **una** ambulancia.*

> **Atención**
>
> No se puede combinar **un** / **una** / **unos** / **unas** con **otro** / **otra** / **otros** / **otras**.
> - *Estudio español, pero también quiero aprender ~~unos~~ otros idiomas.*

> ➕ **Para saber más**
>
> Usamos de la misma manera los cuantificadores.
> - *¿Hay **algún** coche en la esquina?*
> - *Hay **varios** coches de policía y **tres** ambulancias.*
> - *Hay **mucha** gente en la esquina, ¡qué extraño!*

LOS ARTÍCULOS DETERMINADOS

‣ Los artículos determinados (**el**, **la**, **los**, **las**) se usan para volver a hablar de una persona o de una cosa mencionada antes o, en general, conocida:

- *(10:00 h) Hay **un** coche rojo delante de tu casa.*
- *(10:03 h) Ahora **el** coche (= es el mismo coche) está en **la** plaza. (= Conozco la plaza).*

> **Atención**
>
> Los nombres propios no llevan nunca artículo determinado:
> - *María está en tu casa.*
> - *~~La~~ María está en tu casa.*

> ➕ **Para saber más**
>
> Los demostrativos y los posesivos se usan igual que los artículos determinados.
> - *No puedes entrar con **tu** coche en **esta** calle.*

ALGUNOS EJEMPLOS DE USO DE LOS ARTÍCULOS

	ARTÍCULO DETERMINADO (el, la, los, las + **sustantivo**)	ARTÍCULO INDETERMINADO (un, una + **sustantivo**)	SIN ARTÍCULO (ø + **sustantivo**)
Hablar de datos personales	• *Trabajo en **la** <u>universidad</u>.* (= Tú la conoces o solo hay una).	• *Trabajo en **un** <u>banco</u>.* (= Tú no lo conoces y hay varios bancos).	• *¿Tienes ø <u>correo electrónico</u>?* • *Soy ø <u>ingeniera</u>.*
Identificar a una persona	• *¿Quién es Luis?* ○ *Es **el** <u>padre</u> de Juan.* (= Solo tiene uno).	• *¿Quién es Luis?* ○ *Es **un** <u>compañero</u>.* (= Tiene más).	
Expresar existencia y ubicación	• ***El*** <u>libro</u> *está aquí, en la mesa.*	• *Hay **un** <u>libro</u> en la mesa.*	• *En la mesa hay ø <u>libros</u>.* • *En la mesa hay ø <u>agua</u>.*
Describir personas	• *Tiene **los** <u>ojos</u> azules.* • *Tiene **el** <u>pelo</u> largo.*	• *Lleva **un** <u>jersey</u> azul.*	• *Lleva ø <u>gafas</u>.* • *Tiene ø <u>barba</u>.*
Hablar de gustos	• *Me encanta **el** <u>cine</u>.* • *Me gustan mucho **los** <u>deportes</u>.*		
Los días y las horas	• *Estudio francés **los** <u>lunes</u>.* • *Son **las** <u>nueve y media</u>.*		• *Hoy es ø <u>lunes</u>.*
En un objeto directo	• *Quiero visitar **el** <u>museo</u> de la ciudad.* (= Tu interlocutor lo conoce o solo hay uno). • *Quiero visitar **los** <u>museos</u> de la ciudad.* (= Todos, en general). • ***El*** <u>café</u>, *lo tomo sin azúcar.*	• *Quiero comprar **un** <u>coche</u>, pero no sé cuál elegir...*	• *Quiero visitar ø <u>museos</u> de la ciudad.* (= Algunos, no todos). • *¿Tomas ø <u>té</u> o ø <u>café</u>?* • *La sopa lleva ø <u>ajo</u>, ø <u>tomate</u>...*

LOS DEMOSTRATIVOS

	MASCULINO	FEMENINO
SINGULAR	**este** (+ sustantivo)	**esta** (+ sustantivo)
PLURAL	**estos** (+ sustantivo)	**estas** (+ sustantivo)

▸ Los demostrativos funcionan como determinantes definidos y se usan de una manera parecida a **el**, **la**, **los**, **las**:

- *Me encanta **esta** ciudad.*
- ***Este** lunes quiero ir a Guadalajara.*
- *~~Hay esta farmacia~~ cerca de mi casa. (~~Hay la farmacia~~ cerca de mi casa).*

▸ La diferencia es que los artículos determinados **el**, **la**, **los**, **las** se interpretan en general y, en cambio, los demostrativos seleccionan un individuo en particular (una cosa, persona...) que se elige entre otros del mismo tipo porque está cerca de la persona que habla y se puede señalar.

- ***Las** <u>sandalias</u> son muy cómodas, ¿verdad?* (= Todas las sandalias en general).
- ○ *Normalmente sí, pero **estas** son bastante incómodas.* (= Las sandalias que lleva, unas en particular).

Me encantan las mandarinas.

Sí, a mí también, pero estas no me gustan.

➕ Para saber más

Además de las formas de masculino y de femenino, existe la forma neutra **esto**, que nunca se combina con un sustantivo. Esta forma sirve para referirse a algo que no sabemos qué es.

- *¿**Esto** qué es: una camiseta larga o un vestido corto?*

También para referirse a dos cosas que son de tipos diferentes sin usar el nombre concreto.

- *¿Qué compramos para cenar: **esto** o **esto**?* (= Pollo o pasta).

Nunca se usan demostrativos neutros para referirse a personas: ~~Esto es mi amigo~~.

➕ Para saber más

Cuando no sabemos o no queremos decir a qué tipo de cosa pertenece algo, preguntamos con **qué** y respondemos con **esto**.

Cuando tenemos que elegir una entre dos o más cosas del mismo tipo, preguntamos con **cuál** / **qué** + sustantivo y respondemos con **este/a/os/as**.

¿Qué desea?

Esto de aquí.

¡Ah! ¿Una madalena? ¿Cuál quiere?

Esta. La más grande.

Más gramática

LOS POSESIVOS

▸ Los posesivos se utilizan para identificar algo o a alguien relacionándolo con una persona: el / la poseedor/a. La relación puede ser familiar (**mi** madre), social (**mis** compañeros de clase), de posesión (**mi** coche) o de otro tipo (**mi** barrio).

▸ Los posesivos varían según quién es el / la poseedor/a (**yo** → **mi** casa, **tú** → **tu** casa…) y concuerdan en género y en número con lo poseído (**nuestra** casa, **sus** libros, etc.).

(yo)	**mi** libro / casa	**mis** libros / casas
(tú)	**tu** libro / casa	**tus** libros / casas
(él / ella, usted)	**su** libro / casa	**sus** libros / casas
(nosotros/as)	**nuestro** libro **nuestra** casa	**nuestros** libros **nuestras** casas
(vosotros/as)	**vuestro** libro **vuestra** casa	**vuestros** libros **vuestras** casas
(ellos / ellas, ustedes)	**su** libro / casa	**sus** libros / casas

Esta es nuestra casa.

Y este es nuestro coche.

▸ Los posesivos **su** / **sus** se pueden referir a diferentes personas (**él, ella, usted, ellos, ellas, ustedes**). Por eso, solo los usamos cuando no existe posibilidad de confusión.
- *Esos son Guillermo y **su** novia, Julia.*
- *Señora Castro, ¿es este **su** ordenador?*

▸ Si no queda claro el / la poseedor/a, utilizamos **de** + nombre:
- *Esta es la casa **de** Manuel y esa, la **de** Jorge.*

Estas son nuestras hijas.

Y estos son nuestros gatos.

LOS ADJETIVOS

▸ Los adjetivos concuerdan siempre en género y en número con el sustantivo al que se refieren.

▸ El adjetivo, en español, se coloca casi siempre detrás del sustantivo:
- *Es un hotel **pequeño**.*
- *Marta es una chica muy **simpática**.*
- *Es un barrio **tranquilo**.*

▸ Solo unos pocos adjetivos se colocan siempre antes del sustantivo:
- **mejor**: mi **mejor** amigo, el **mejor** libro de esta novelista;
- los adjetivos que expresan orden, como **primero, segundo** o **último**: el **primer** premio, el **segundo** plato, la **última** oportunidad.

> **Atención**
>
> Los adjetivos **primero** y **tercero**, cuando van delante de un nombre, pierden la -o final: **mi primer libro, el tercer premio**.

LOS CUANTIFICADORES CON SUSTANTIVOS

	CON SUSTANTIVOS NO CONTABLES	CON SUSTANTIVOS CONTABLES	
	SINGULAR	SINGULAR	PLURAL
No hay	ø zumo / leche	**ningún** huevo / **ninguna** cebolla	**dos (tres…)** huevos / **dos (tres…)** cebollas
Hay	ø zumo / leche	**un** huevo / **una** cebolla **algún** huevo / **alguna** cebolla	**algunos** huevos / **algunas** cebollas **varios** huevos / **varias** cebollas

- *¿Hacemos **una** tortilla de patatas?*
- *Claro. ¿Hay **ø** huevos?*
- *Sí, hay **algún** huevo, creo, pero no sé cuántos. A ver… Solo hay **dos**.*
- *Vale, pues tenemos que comprar. ¿Y **ø** cebollas?*
- *No, no hay **ninguna** cebolla.*
- *Y no tenemos **ø** aceite tampoco.*

> **Atención**
>
> **Un**, **algún** y **ningún** se convierten en **uno**, **alguno** y **ninguno** cuando no van seguidos del sustantivo.
> - *¿Tienes **algún** huevo?*
> - *No, no tengo **ninguno**. Ah, sí, mira, aquí hay **uno**.*

‣ Con los siguientes cuantificadores, comparamos con una cantidad estándar, con lo que pensamos que es la cantidad correcta o "normal".
- *Necesito tres huevos para preparar el pastel. En la nevera hay dos huevos.* → *Hay **pocos** huevos.*

CON SUSTANTIVOS NO CONTABLES (siempre en singular)	CON SUSTANTIVOS CONTABLES (plural)
poco zumo / **poca** leche	**pocos** huevos / **pocas** cebollas
bastante zumo / leche	**bastantes** huevos / cebollas
mucho zumo / **mucha** leche	**muchos** huevos / **muchas** cebollas
demasiado zumo / **demasiada** leche	**demasiados** huevos / **demasiadas** cebollas

poco zumo   **bastante** zumo   **mucho** zumo   **demasiado** zumo   **pocas** cebollas   **bastantes** cebollas   **muchas** cebollas   **demasiadas** cebollas

LOS CUANTIFICADORES CON ADJETIVOS

no… nada poco un poco bastante muy demasiado	tímido tímida tímidos tímidas

> **Atención**
>
> No usamos **poco** con adjetivos que consideramos negativos.
> - *Es **poco** ~~estúpido~~.*

‣ **No** + verbo **nada** + adjetivo. Cuando usamos esta estructura, es necesario decir **no** antes del verbo.
- *Tu amigo **no** es **nada** tímido, habla con todo el mundo.*
- *~~Tu amigo es nada tímido~~, habla con todo el mundo.*

‣ **Poco** + adjetivo. Usamos **poco** con adjetivos que consideramos positivos, para expresar que una persona o cosa no tiene esa cualidad en el grado deseable.
- *¿Qué te parece la novela?*
- *Es **poco** interesante, he leído treinta páginas y no me gusta. (= No es suficientemente interesante).*

Más gramática

▸ **Un poco** + adjetivo. Usamos **un poco** con adjetivos que consideramos negativos, para marcar que una persona o una cosa tiene esa cualidad en un grado bajo. También usamos **un poco** para atenuar, a veces por una cuestión de cortesía.

- *¿Qué tal la película?*
- *Pues **un poco** <u>lenta</u>, la verdad...* (= Es lenta, pero no muy lenta).
- *Tu amiga es **un poco** <u>tímida</u>, ¿no?* (= Es tímida..., pero es tu amiga y por eso no quiero hablar mal de ella).
- *Bueno, cuando la conoces mejor, es muy simpática.*

▸ **Muy** + adjetivo significa lo mismo que adjetivo + **-ísimo/a/os/as**

- *Tu hermano es **muy** <u>alto</u>, ¿verdad?*
- *Sí, mide dos metros. Es **altísimo**.*

- *¡Esta camiseta es **carísima**!*
- *Sí, es **muy** <u>cara</u>, pero me gusta. ¡Me la llevo!*

▸ **Demasiado** siempre expresa un exceso.

- *¿Te gusta esta camiseta?*
- *Sí, pero es muy cara, ¿no?*
- *Es verdad, es **demasiado** <u>cara</u>, no me la llevo.*

LOS CUANTIFICADORES CON ADVERBIOS

No... nada un poco bastante muy demasiado	cerca lejos bien mal

▸ **No** + verbo + **nada** + adverbio. Cuando usamos esta estructura, es necesario decir **no** antes del verbo.

- ***No** <u>conduce</u> **nada** <u>mal</u>, es un conductor bastante bueno.*   ~~Conduce **nada** mal, es un conductor bastante bueno.~~

▸ **Un poco** + adverbio. Usamos **un poco** con adverbios que consideramos negativos, para marcar un grado bajo. También usamos **un poco** para atenuar, a veces por una cuestión de cortesía.

- *El tren de las 8 h a veces llega **un poco** tarde, pero no mucho.*
- *Habla inglés **un poco** <u>mal</u>, ¿verdad?*
- *Bueno, estudia mucho... pero no, no habla muy bien.*

▸ **Demasiado** siempre expresa un exceso.

- *¿Vamos al bar nuevo de la playa?*
- *No, ahora no: está **demasiado** <u>lejos</u> y no hay autobús por la noche.*

LOS CUANTIFICADORES CON VERBOS

▸ En general, los cuantificadores que se refieren a verbos van después de estos.

No corre **nada**	corre **(un) poco**	corre **bastante**	corre **mucho**	corre **demasiado**

▸ **Demasiado** siempre expresa un exceso.

- *<u>Trabajas</u> **demasiado**, necesitas vacaciones.*

▸ **No** + verbo + **nada**. Cuando usamos esta estructura, es necesario decir **no** antes del verbo.

- *Mi hermano **no** <u>hace</u> **nada**: no estudia, no trabaja...*   ~~Mi hermano hace **nada**: no estudia, no trabaja...~~

LA COMPARACIÓN

▸ Para comparar, usamos las estructuras siguientes:

más / **menos** + adjetivo / sustantivo / adverbio + **que**	verbo + **más** / **menos que**
• *Mario es **más** <u>alto</u> **que** Carlos.* • *La camiseta azul es **más** <u>barata</u> **que** la verde.* • *Argentina tiene **menos** <u>habitantes</u> **que** México.* • *Mi casa está **más** <u>cerca</u> de la escuela **que** mi oficina.*	• *Yo <u>hablo</u> **más que** tú.* • *Ana <u>trabaja</u> **menos que** yo.*

▸ Algunos adjetivos y adverbios tienen formas comparativas especiales.

más grande	→ **mayor**	más bien	→ **mejor**
más pequeño/a	→ **menor**	más mal	→ **peor**
más bueno/a	→ **mejor**		
más malo/a	→ **peor**		

• *Mi hermana es **mayor** que yo.*
• *Soy un año **menor** que tú.*
• *Yo cocino **mejor** que tú.*

• *Este restaurante es **peor** que el de tu calle.*
• *Yo cocino **mejor** que Lola.*
• *En los hoteles siempre duermo **peor** que en casa.*

LOS SUPERLATIVOS

▸ Los superlativos definen un lugar, una persona o una cosa como el lugar, la persona o la cosa que tiene el grado máximo de una cualidad (más grande, más pequeño...) dentro de un conjunto.
• *El Aconcagua es **la** montaña **más** alta **de** América.*
• *El lago Titicaca es **el más** alto **del** mundo.*

LA NEGACIÓN

▸ La palabra negativa **no** se coloca siempre antes del verbo.
• ***No*** *<u>soy</u> español.* ~~Soy **no** español.~~
• ***No*** *<u>hablo</u> bien español.* ~~Hablo **no** bien español.~~
• ***No*** *<u>tengo</u> hermanos.* ~~Tengo **no** hermanos.~~

▸ Si después del verbo hay palabras negativas como **ningún** / **ninguna**, **nada**, **nadie**, **nunca** o **tampoco**, es obligatorio poner **no** antes del verbo.
• *Me gusta mucho.*
○ *Pues a mí, **no** <u>me gusta</u> **nada**.* ~~Pues a mí, me gusta **nada**.~~

> **Atención**
>
> **Ningún** / **ninguna**, **nada**, **nadie**, **nunca** o **tampoco** también pueden ir delante del verbo. En ese caso, no se usa **no**.
> • *En este barrio **nada** <u>cambia</u>.*
> • *Yo **nunca** <u>he ido</u> a China, y ¿tú?*
>
> • *No me gustan las películas antiguas.*
> ○ *A mí **tampoco** <u>me gustan</u> mucho.*

Más gramática

LOS PRONOMBRES PERSONALES

▸ Los pronombres personales son las palabras que usamos para referirnos a la persona o personas que hablan, la persona o personas que escuchan o a personas o cosas que no están en la conversación.

- *Yo soy profesora.*
- *¿Ustedes son chilenos?*
- *Ellas no han visto las fotos del viaje.*
- *Siempre me levanto a las 7 h.*

- *El té, lo tomo siempre con un poco leche.*
- *¿Conoces a Marta? Me voy de vacaciones con ella.*
- *Me gusta la playa.*

▸ La forma de los pronombres personales cambia según el lugar que ocupan en la oración y según su función.

LAS PERSONAS QUE ESCUCHAN. LAS FÓRMULAS DE TRATAMIENTO

▸ **Usted**. Usamos este pronombre como forma de respeto o para marcar distancia social. En general, se usa con personas mayores (especialmente, desconocidas) y en relaciones profesionales. Sirve para dirigirse a una persona, pero tanto las formas verbales como los pronombres de objeto directo, indirecto o reflexivos son los mismos que se usan para la tercera persona (**usted** se levanta, **ella** se levanta; A **usted** lo conozco, ¿verdad?, A **él** lo conozco, ¿verdad?).

▸ **Tú** y **vos**. Usamos estas formas para hablar con una persona, sin marcas especiales de respeto. Según la zona geográfica se usa uno u otro.

▸ **Ustedes**. Se usa para dirigirse a varias personas. Las formas verbales y los pronombres de objeto directo, indirecto o reflexivos son los mismos que se usan para la tercera persona del plural (**ustedes** se levantan, **ellas** se levantan).

▸ **Vosotros/as.** Este pronombre se usa únicamente en España y se utiliza para dirigirse a varias personas en situaciones informales. En España, **ustedes** es una forma de respeto y se usa de manera similar a **usted**.

LOS PRONOMBRES PERSONALES EN FUNCIÓN DE SUJETO

▸ En español, la terminación del verbo concuerda con el sujeto, por eso los pronombres personales que tienen esa función se usan poco.

- *Esta es mi clase, ~~yo~~ estudio Matemáticas.*
- *Perdona, ¿~~tú~~ tienes hora?*

▸ Los pronombres de sujeto se utilizan solo cuando queremos resaltar una persona, para comparar o contrastar con otras.

- *Yo tengo dieciocho años. ¿Y vosotros?*
- *Yo tengo diecinueve y él tiene veinte.*

▸ También se usan, en la tercera persona, si se habla de más de una persona y puede haber confusión.

- *Juan y Julia han vivido en Rusia, pero él no habla ruso.*

1.ª pers. singular	**yo**	• *Yo vivo en Barcelona, ¿y tú?*
2.ª pers. singular	**tú, usted**	• *Mi reloj no funciona, ¿tú tienes hora? / ¿usted tiene hora?*
3.ª pers. singular	**él / ella**	• *Él es argentino y ella, española.*
1.ª pers. plural	**nosotros / nosotras**	• *¿Tú vas a la fiesta? Nosotras no vamos; no tenemos tiempo.*
2.ª pers. plural	**vosotros / vosotras, ustedes**	• *¿Ustedes trabajan aquí? / ¿Vosotros trabajáis aquí?*
3.ª pers. plural	**ellos / ellas**	• *Ellos son argentinos y ellas, españolas.*

LOS PRONOMBRES PERSONALES EN LOS VERBOS PRONOMINALES

▸ Algunos verbos, como **llamarse**, **levantarse** o **ducharse**, se construyen siempre con los pronombres **me**, **te**, **se**, **nos**, **os**, **se**. Son los llamados verbos pronominales.

1.ª pers. singular	me	(yo) **me** levant**o** (yo) **me** he levantado
2.ª pers. singular	te / se	(tú) **te** levant**as** / (usted) **se** levant**a** (tú) **te** has levantado / (usted) **se ha** levantado
3.ª pers. singular	se	(él) **se** levant**a** (ella) **se ha** levantado
1.ª pers. plural	nos	(nosotras) **nos** levant**amos** (nosotras) **nos h**emos levantado
2.ª pers. plural	os / se	(vosotros) **os** levant**áis** / (ustedes) **se** levant**an** (vosotros) **os** hab**éis** levantado / (ustedes) **se han** levantado
3.ª pers. plural	se	(ellos) **se** levant**an** (ellas) **se han** levantado

LOS PRONOMBRES PERSONALES EN FUNCIÓN DE OBJETO DIRECTO (OD)

▸ Los pronombres personales de objeto directo (**lo**, **la**, **los**, **las**) aparecen cuando, por el contexto, ya está claro cuál es el OD de un verbo y no lo queremos repetir.
- ¿Tienes el pasaporte?
- Sí, **lo** llevo en la maleta. Y las tarjetas de crédito, ¿**las** tienes tú?

	MASCULINO	FEMENINO
SINGULAR	lo	la
PLURAL	los	las

- Me gusta mucho este abrigo. **Lo** llevo siempre.
- El libro, **lo** necesito para mi clase.
- Me gusta mucho esta chaqueta. **La** llevo siempre.
- La libreta, **la** necesito para mi clase.

- Me gustan mucho estos zapatos. **Los** llevo siempre.
- Los libros, **los** necesito para mi clase.
- Me gustan mucho estas sandalias. **Las** llevo siempre.
- Las libretas, **las** necesito para mi clase.

LOS PRONOMBRES PERSONALES EN FUNCIÓN DE OBJETO INDIRECTO (OI)

▸ Algunos verbos, como **gustar** y **encantar**, que expresan sentimientos y opiniones respecto a cosas, personas o actividades, tienen una estructura especial.

▸ La persona que tiene esa opinión o experimenta ese sentimiento se expresa mediante un pronombre de OI (**me**, **te**, **le**, **nos**, **os**, **les**) y con **a** + pronombre:
- **A mí** no **me** gusta este plato. ¿**A ti te** gusta?

▸ La cosa o actividad que provoca ese sentimiento es el sujeto y concuerda con el verbo.

- *No me gusta el golf, pero me encantan los deportes de equipo.*
  SUJETO   SUJETO

(A mí)	**me**		el cine. (NOMBRES EN SINGULAR).
(A ti)	**te**	gusta	
(A él / ella, usted)	**le**		ir al cine. (VERBOS).
(A nosotros / nosotras)	**nos**		las películas de amor.
(A vosotros / vosotras)	**os**	gustan	
(A ellos / ellas, ustedes)	**les**		(NOMBRES EN PLURAL).

▸ En estos verbos, el pronombre de OI es obligatorio y se usa siempre. En cambio, el uso de **a** + pronombre tónico (**a mí, a ti, a él / ella / usted, a nosotros/as, a vosotros/as, a ellos / ellas / ustedes**) no es obligatorio.

- *Pablo es muy aventurero, a él **le** encanta viajar solo.*
- *¿Qué aficiones tenéis?*
- ○ ***A mí me** encanta el teatro. ¿Y a ti?*
- ○ ~~*A mí encanta el teatro. ¿Y a ti?*~~

*A Juan **le** encanta el mar.*
OI   SUJETO

PRONOMBRES PERSONALES CON PREPOSICIÓN

▸ Después de las preposiciones (**a**, **de**, **con**, **en**, **para**, **por**…), se usa una forma especial de los pronombres, llamados pronombres tónicos.

1.ª pers. singular	**mí (conmigo)**	• *A **mí** me encanta el cine, ¿y a ti?* • *¿Esto es para **mí**? ¡Gracias!* • *El lunes comes con ella, pero el sábado cenas **conmigo**.*
2.ª pers. singular	**ti (contigo) usted**	• *¿A **ti** te gusta el cine? / ¿A **usted** le gusta el cine?* • *Esto es para **ti** / para **usted**.* • *El lunes como con ella, pero el sábado ceno **contigo**.*
3.ª pers. singular	**él, ella**	• *¿A **ella** le gusta el cine?* • *El regalo es para **él**.* • *El sábado cenamos con **ella**.*
1.ª pers. plural	**nosotros, nosotras**	• *A **nosotros** nos gusta el cine, ¿y a ti?* • *¿Esto es para **nosotras**? ¡Gracias!* • *El sábado Alicia cena con **nosotros**.*
2.ª pers. plural	**vosotros, vosotras ustedes**	• *¡Feliz cumpleaños! Esto es para **ustedes** / **vosotras**.* • *No tenemos coche. ¿Podemos ir con **ustedes** / **vosotros**?*
3.ª pers. plural	**ellos, ellas**	• *¿A **ellas** les gusta el cine?* • *¿Están aquí tus padres? Esto es para **ellos**.* • *Hoy cenamos con **ellos**.*

> **Atención**
>
> Con la preposición **con**, decimos **conmigo** y **contigo**.

¿Vienes conmigo o vas con él?

Voy contigo.

POSICIÓN DE LOS PRONOMBRES

▸ Los pronombres se colocan siempre delante del verbo conjugado.

- *Me despierto pronto.*
- *Me gusta leer.*

▸ En las perífrasis como **tener que** + infinitivo, **querer** + infinitivo, **poder** + infinitivo o **saber** + infinitivo los pronombres van antes del verbo conjugado o después del infinitivo (y forman una sola palabra con el infinitivo), pero nunca entre ambos ni repetidos.

- *Me tengo que levantar pronto mañana.*   ~~Me tengo que levantarme pronto mañana.~~
- *Tengo que levantarme pronto mañana.*   ~~Tengo que me levantar pronto por la mañana.~~
- *¿Te quieres despertar pronto mañana?*   ~~¿Quieres te despertar pronto mañana?~~
- *¿Quieres despertarte pronto mañana?*   ~~¿Te quieres despertarte pronto mañana?~~

> **Atención**
>
> Con un verbo en pretérito perfecto, el pronombre siempre se sitúa antes del verbo **haber**.
>
> - *Me he levantado tarde.*
> - ~~He me levantado tarde.~~
> - ~~He levantadome tarde.~~

LOS INTERROGATIVOS

▸ Los interrogativos (**cómo**, **dónde**, **cuándo**, **qué**...) se usan para preguntar por un elemento desconocido en preguntas de respuesta abierta; es decir, en preguntas que no se responden con **sí** o **no**.

quién/es	• *¿Con **quién** fuiste al cine?*
cuánto/a/os/as	• *¿**Cuánto** es?* • *¿**Cuántos** años tienes?* • *¿**Cuántas** hermanas tienes?*
dónde	• *¿**Dónde** está Michoacán?* • *¿De **dónde** eres?*
cuándo	• *¿**Cuándo** llega Enrique?*
cómo	• *¿**Cómo** estás?* • *¿**Cómo** te llamas?* • *¿**Cómo** se escribe "ventana"?*
por qué	• *¿**Por qué** estudias ruso?*

> **Atención**
>
> – Todos los interrogativos llevan acento gráfico.
> – Cuando el verbo va acompañado de preposición, esta se coloca antes del interrogativo.
>   - *¿**De** dónde eres?*
>   - ***De** Sevilla.*
> – En español, los signos de exclamación y de interrogación se colocan al comienzo y al final de la frase.

QUÉ Y QUÉ + SUSTANTIVO, CUÁL / CUÁLES

▸ Para preguntar por un tipo de cosa, sin concretar ni hacer referencia a un sustantivo, usamos **qué**.

- *¿**Qué** compro para la fiesta?*
- *Bebidas o patatas fritas.*

- *¿**Qué** es el atún?*
- *Un pescado.*

▸ También usamos **qué** para preguntar por actividades.

- *¿**Qué** quieres hacer esta tarde?*
- *Podemos ir al cine, ¿no?*

Más gramática

▸ Cuando queremos preguntar por una cosa en particular, dentro de un conjunto (sabemos qué tipo de cosa es), usamos **qué** + sustantivo o **cuál / cuáles**.

- *¿**Qué** <u>zapatos</u> te gustan más: los negros o los blancos?*
- *Los negros.*

- *¿**Cuál** es tu apellido?*
- *Goicoechea.*

- *¿**Cuál** es la moneda de México?*
- *El peso, ¿no?*

> **Atención**
>
> En algunos lugares también se dice **cuál / cuáles** + sustantivo:
> - *¿**Cuáles** <u>zapatos</u> te gustan más?*

LAS PREPOSICIONES

UBICACIÓN

NORTE

OESTE · ESTE

SUR

- *Las montañas están **en** el este del país.*
- *Las montañas están **al** este de los lagos.*
- *El pueblo está **en** el norte del país.*
- *El bosque está **al** sur de los lagos.*

> **Atención**
>
> **a** + **el** = **al**
> **de** + **el** = **del**

*La casa está **a la izquierda del** árbol.*

*La casa está **a la derecha del** árbol.*

*La casa está **en** la esquina.*   *La casa está **en** la calle.*

DISTANCIA

Está	a	(unos) 20 minutos	
		(unos) 200 metros	
Está		muy **lejos**	**de** aquí.
		bastante **lejos**	**de** la universidad.
		un poco **lejos**	
		bastante **cerca**	
		muy **cerca**	
		aquí al lado.	
		aquí mismo.	

- *La casa está **cerca de** la playa.*
- *La casa está **lejos de** la ciudad.*
- *La casa está a 5 minutos **de la** playa.*
- *La casa está a 300 metros **del** árbol.*

POSICIÓN Y MOVIMIENTO

- *Todos los domingos vamos **de** casa **a** la playa.*
- *Me gusta pasear **por** la playa.*

SITUAR EN EL TIEMPO

a + hora (de la mañana / tarde / noche) **al** mediodía	• *Me levanto **a** las ocho.* • *Hacemos una pausa para comer **a** la una.* • *Nosotros comemos **al** mediodía.*
por + parte del día	• *No trabajo **por** la tarde.* • *Me levanto tarde **por** la mañana.* • *Prefiero estudiar **por** la noche.*
[**de** + inicio] + [**a** + fin]	• *Trabajamos **de** 9 h **a** 18 h.*
en + mes / estación / año	• *Mi cumpleaños es **en** abril, **en** primavera.* • *La historia empieza **en** 2010.*
antes de + infinitivo **después de** + infinitivo	• *Hago deporte **antes de** cenar.* • *Juego en internet **después de** cenar.*

> ### Atención
> También podemos situar en el tiempo con **cuando** + verbo conjugado:
> - *Veo la televisión **cuando** ceno.*

POR Y PARA: MOTIVOS ACTUALES Y OBJETIVOS FUTUROS

MOTIVOS ACTUALES	OBJETIVOS FUTUROS
por + sustantivo • *¿Por qué estudias español?* ○ ***Por** mi trabajo, tengo que responder correos en español.* ○ ***Por** mi novia, es mexicana y quiero hablar español con ella.*	**para** + infinitivo • *¿Por qué estudias español?* ○ ***Para** leer en español La casa de los espíritus. Me encanta, pero ahora solo puedo leerla en inglés.* ○ ***Para** vivir en Uruguay. Quiero vivir allí.*
porque + verbo conjugado • *¿Por qué estudias español?* ○ ***Porque** mi novio es colombiano.* ○ ***Porque** trabajo con españoles.*	**porque quiero** / **quieres**... + infinitivo • *¿Por qué estudias español?* ○ ***Porque quiero** leer en español.* ○ ***Porque quiero** vivir en Uruguay.*

*Emma quiere aprender español **porque** trabaja en España.*

*Sam quiere aprender español **porque** quiere trabajar en España.*

Más gramática

LA FRECUENCIA

una vez dos veces tres veces... varias veces	a	el día la semana el mes el año	• Me lavo los dientes **tres veces al día**. • Tengo clase **cuatro veces a la semana**. • Voy al gimnasio **una vez al mes**. • Visito a mi familia **varias veces al año**.

Siempre Casi siempre Muy a menudo A menudo Normalmente A veces	• **Siempre** hago los deberes por la noche. • Estudio por la noche **casi siempre**. • **Muy a menudo** pregunto dudas a mi profesor. • Hacemos exámenes **a menudo**. • **Normalmente** me despierto pronto. • **A veces** me levanto de mal humor.

... no + verbo... **casi nunca** **casi nunca** + verbo ... no + verbo... **nunca** **nunca** + verbo	• **No** <u>como</u> pescado **casi nunca**. • **Casi nunca** <u>como</u> pescado. • **No** <u>llevo</u> el ordenador a clase **nunca**. • **Nunca** <u>llevo</u> el ordenador a clase.

LOS CONECTORES

AÑADIR INFORMACIÓN: **Y** / **NI** / **TAMBIÉN** / **TAMPOCO**

▸ Para sumar dos o más elementos del mismo tipo dentro de una frase, utilizamos **y**.
- En mi barrio hay un teatro **y** dos cines.
- Para comer, quiero una ensalada **y** un bocadillo. (= Ensalada + bocadillo).

▸ Para señalar que sumamos más elementos, pero en otra frase, usamos **también**.
- En mi barrio hay un teatro y dos cines. **También** hay dos escuelas.
- Para comer, quiero una ensalada **y** un bocadillo. **También** quiero un zumo de naranja.

▸ Para indicar que una persona coincide con otra (en su opinión, sus acciones, etc.), usamos **también**.
- A mí me gusta el cine europeo, ¿y a ti?
- A mí **también**.

- Paola siempre hace los deberes.
- Yo **también**.

▸ Para sumar dos o más elementos <u>negativos</u> del mismo tipo dentro de una frase, utilizamos **ni**.
- En mi barrio **no** hay (ningún) teatro **ni** cines.
- Para comer **no** <u>quiero</u> carne **ni** pescado.

> **Atención**
>
> Cuando la palabra que sigue a **y** comienza con **i** o **hi**, en vez de **y** usamos **e**.
>
> Ignacio **y** Javier   pero   Javier **e** Ignacio

> **Atención**
>
> Para indicar que una persona no coincide con otra (en su opinión, sus acciones, etc.), usamos **no**:
> - A mí me gusta el cine europeo, ¿y a ti?
> - A mí **no**. Solo me gusta el cine americano.
>
> - Paola siempre hace los deberes.
> - Yo **no**. Yo los hago a veces.

- Para señalar que sumamos más elementos, pero en otra frase, usamos **tampoco**.
  - *En mi barrio **no** hay cines; **tampoco** hay teatros.*
  - *Para comer **no** quiero carne **ni** pescado. **Tampoco** quiero huevos.*
- Para indicar que una persona coincide con otra que ha expresado su opinión, sus acciones, etc., en una frase negativa, usamos **tampoco**.
  - *A mí no me gusta el cine europeo, ¿y a ti?*
  - ∘ *A mí **tampoco**.*

  - *Paola no hace nunca los deberes.*
  - ∘ *Yo **tampoco**.*

*Marta quiere un trozo de tarta de chocolate y helado de vainilla. **También** quiere café.*

*Lea **no** quiere tarta de chocolate **ni** helado de vainilla. **Tampoco** quiere café.*

> ### Atención
> Para indicar que una persona tiene una opinión diferente, que no está de acuerdo con la negación, usamos **sí**:
> - *A mí no me gusta el cine europeo, ¿y a ti?*
>   - ∘ *A mí **sí**, me encanta.*
> - *Paola nunca hace los deberes.*
>   - ∘ *Yo **sí**. Los hago siempre.*

LA CONJUNCIÓN O

- Se utiliza para presentar alternativas, opciones de las que hay que elegir solo una.
  - *¿Prefieres carne **o** pescado?*
  - ∘ *Carne para mí, gracias.*
  - *Podemos ir al cine **o** a cenar...*
  - ∘ *¿Pueden ser las dos cosas? Primero vamos al cine y después cenamos.*

> ### Atención
> Cuando la palabra que sigue a **o** comienza con **o** o **ho**, en vez de **o** usamos **u**: *No sé si quiere este **u o**tro.*

PERO, EN CAMBIO

- **Pero** se utiliza para introducir una información nueva en la frase que, de alguna manera, contradice las expectativas de la información anterior.
  - *Soy japonesa (y, normalmente, los japoneses hablan japonés con su familia), **pero** hablo español con mi familia.*
  - *Come mucho (y, normalmente, la gente que come mucho no está muy delgada), **pero** está muy delgado.*
- **En cambio**, se usa para señalar que la información que se da en una frase es muy diferente o contraria a la información de la frase anterior.
  - *Mi hermana y yo somos muy diferentes. Yo tengo el pelo muy negro y corto; **en cambio**, ella lo tiene rubio y largo.*

LOS VERBOS

CONJUGACIONES

- En el verbo se pueden distinguir dos elementos: la raíz y la terminación. En la raíz está el significado del verbo. En la terminación está la información de tiempo y persona.
- En español existen tres conjugaciones, que se distinguen por las terminaciones del infinitivo: **-ar** (primera conjugación), **-er** (segunda conjugación) e **-ir** (tercera conjugación).

estud**iar** → TERMINACIÓN
↓
RAÍZ

Más gramática

PRESENTE DE INDICATIVO

	CANTAR	LEER	VIVIR
(yo)	canto	leo	vivo
(tú)	cantas	lees	vives
(él / ella, usted)	canta	lee	vive
(nosotros / nosotras)	cantamos	leemos	vivimos
(vosotros / vosotras)	cantáis	leéis	vivís
(ellos / ellas, ustedes)	cantan	leen	viven

▸ Las distintas personas del presente de indicativo se pronuncian de manera diferente: en algunas, la sílaba tónica (subrayada en la tabla) está en la raíz; en otras, en la terminación.

▸ La terminación de la primera persona del singular es igual en las tres conjugaciones: **-o**.

▸ Las terminaciones de los verbos de la segunda y de la tercera conjugación son muy similares. Son iguales, excepto en las formas **nosotros/as** y **vosotros/as**, que son las formas en las que la sílaba tónica está en la terminación.

▸ La mayoría de las irregularidades del presente de indicativo están en la raíz del verbo: **quiero**, **puedes**, **tienen** y solo en las personas en las que la sílaba tónica está en la raíz: **yo**, **tú**, **usted**, **él / ella**, **ustedes** y **ellos / ellas**. La mayoría de las irregularidades se dan en la segunda (**-er**) y en la tercera conjugación (**-ir**).

USOS DEL PRESENTE DE INDICATIVO

▸ El presente de indicativo se usa para hablar de hechos actuales.
- *¡**Estoy** aquí!*
- ***Sé** conducir.*
- *Mi casa **es** bastante grande.*

▸ Hablar de hábitos o acciones que hacemos con regularidad.
- ***Voy** al gimnasio los lunes y los miércoles.*

▸ Pedir cosas y acciones.
- *¿Me **trae** una cerveza, por favor?*

▸ Dar instrucciones.
- ***Bajas** las escaleras, **giras** a la derecha y ahí está la biblioteca.*

IRREGULARIDADES EN PRESENTE

Diptongación: **e > ie**, **o > ue**

	CERRAR	PODER	JUGAR
(yo)	cierro	puedo	juego
(tú)	cierras	puedes	juegas
(él / ella, usted)	cierra	puede	juega
(nosotros / nosotras)	cerramos	podemos	jugamos
(vosotros / vosotras)	cerráis	podéis	jugáis
(ellos / ellas, ustedes)	cierran	pueden	juegan

▸ Muchos verbos de las tres conjugaciones que tienen una **e** o una **o** en la sílaba tónica de la raíz tienen esta irregularidad en presente. Solo son irregulares las personas con **e** y **o** tónicas: **yo**, **tú**, **usted**, **él / ella**, **ustedes** y **ellos / ellas**.

Cierre vocálico: **e > i**

	PEDIR
(yo)	p<u>i</u>do
(tú)	p<u>i</u>des
(él / ella, usted)	p<u>i</u>de
(nosotros / nosotras)	ped<u>i</u>mos
(vosotros / vosotras)	ped<u>í</u>s
(ellos / ellas, ustedes)	p<u>i</u>den

▸ El cambio de **e** por **i** se produce en muchos verbos de la tercera conjugación (**-ir**) en los que la última vocal de la raíz es **e**, como p**e**dir o s**e**guir.

-g- en la primera persona del singular

▸ Existe un grupo de verbos que colocan una **g** en la primera persona del singular.

salir → **salgo**   poner → **pongo**   valer → **valgo**

▸ Esta irregularidad también se puede combinar con cambios en las vocales (**e > ie, e > i**) en las otras personas, como en **tener**, en **venir** o en **decir**.

	TENER	VENIR	DECIR
(yo)	ten<u>g</u>o	ven<u>g</u>o	di<u>g</u>o
(tú)	t<u>ie</u>nes	v<u>ie</u>nes	d<u>i</u>ces
(él / ella, usted)	t<u>ie</u>ne	v<u>ie</u>ne	d<u>i</u>ce
(nosotros / nosotras)	tenemos	venimos	decimos
(vosotros / vosotras)	tenéis	venís	decís
(ellos / ellas, ustedes)	t<u>ie</u>nen	v<u>ie</u>nen	d<u>i</u>cen

-zc- en la primera persona del singular

▸ Los verbos terminados en **-acer, -ecer, -ocer** y **-ucir** también son irregulares en la primera persona del singular.

con**ocer** → **conozco**   prod**ucir** → **produzco**   cond**ucir** → **conduzco**

PRETÉRITO PERFECTO

	PRESENTE DE **HABER**	+ PARTICIPIO
(yo)	**he**	
(tú)	**has**	
(él / ella, usted)	**ha**	**cantado**
(nosotros / nosotras)	**hemos**	**leído**
(vosotros / vosotras)	**habéis**	**vivido**
(ellos / ellas, ustedes)	**han**	

▸ El pretérito perfecto se forma con dos verbos: el presente de **haber** (**he, has, ha**...), que concuerda con el sujeto, y el participio (**cantado, bebido, vivido**). El participio es igual en todas las personas.

Más gramática

- **Haber** y el participio siempre van juntos, no se puede colocar nada entre ellos. Los pronombres y la negación se colocan siempre antes de **haber**.
  - *No **he ido** a América nunca.*
  - ~~*He no ido a América nunca.*~~
  - *¿La última película de Cuarón? La **he visto**.*
  - ~~*¿La última película de Cuarón? Hemos la visto.*~~
- Usamos el pretérito perfecto para referirnos a experiencias de la vida (acciones o acontecimientos ocurridos en un momento pasado no definido): no es importante cuándo ha pasado, solo que ha pasado.
  - *Nunca **he estado** en Gijón, ¿y tú?*
  - *No, nunca.*
  - *¿**Has visto** alguna vez un oso panda?*
  - *Sí, en China. Son impresionantes.*

> **Atención**
>
> Los adverbios se pueden colocar antes del verbo completo o después, pero nunca entre **haber** y el participio:
> - *Siempre **he vivido** aquí. / **He vivido** aquí siempre.*

EL PARTICIPIO

- El participio se forma agregando las terminaciones **-ado** en los verbos de la primera conjugación (**-ar**) e **-ido** a la raíz de los verbos de la segunda (**-er**) y de la tercera conjugación (**-ir**).

  cantar → **cant**ado

  beber → **beb**ido

  vivir → **viv**ido

- Hay algunos participios irregulares.

  abrir → **abierto**   ver → **visto**

  decir → **dicho**   volver → **vuelto**

  escribir → **escrito**   romper → **roto**

  hacer → **hecho**

  morir → **muerto**

  poner → **puesto**

SE IMPERSONAL

- En español, podemos expresar impersonalidad (no concretar quién realiza la acción del verbo, expresar que todo el mundo lo hace así) de varias maneras. Una de ellas es con la construcción **se** + verbo en tercera persona.
  - *En español, **se puede** expresar la impersonalidad con se + verbo en tercera persona del singular.* (=En general, todo el mundo puede expresarla así).
  - *El presente **se utiliza** mucho en español.* (=En general, todo el mundo lo usa mucho).
  - *La tortilla española **se hace** con patatas, huevos y cebollas.* (=En general, todo el mundo la hace así).
  - *En España **se cena** muy tarde.* (=En general, todo el mundo cena muy tarde).

Verbos

REGULARES

PRESENTE	PRETÉRITO PERFECTO	PRESENTE	PRETÉRITO PERFECTO	PRESENTE	PRETÉRITO PERFECTO
estudiar	Participio: **estudiado**	**comer**	Participio: **comido**	**vivir**	Participio: **vivido**
estudio	he estudiado	como	he comido	vivo	he vivido
estudias	has estudiado	comes	has comido	vives	has vivido
estudia	ha estudiado	come	ha comido	vive	ha vivido
estudiamos	hemos estudiado	comemos	hemos comido	vivimos	hemos vivido
estudiáis	habéis estudiado	coméis	habéis comido	vivís	habéis vivido
estudian	han estudiado	comen	han comido	viven	han vivido

IRREGULARES

PRESENTE	PRETÉRITO PERFECTO	PRESENTE	PRETÉRITO PERFECTO	PRESENTE	PRETÉRITO PERFECTO
actuar	Participio: **actuado**	**adquirir**	Participio: **adquirido**	**almorzar**	Participio: **almorzado**
actúo	he actuado	adquiero	he adquirido	almuerzo	he almorzado
actúas	has actuado	adquieres	has adquirido	almuerzas	has almorzado
actúa	ha actuado	adquiere	ha adquirido	almuerza	ha almorzado
actuamos	hemos actuado	adquirimos	hemos adquirido	almorzamos	hemos almorzado
actuáis	habéis actuado	adquirís	habéis adquirido	almorzáis	habéis almorzado
actúan	han actuado	adquieren	han adquirido	almuerzan	han almorzado
caer	Participio: **caído**	**coger**	Participio: **cogido**	**comenzar**	Participio: **comenzado**
caigo	he caído	cojo	he cogido	comienzo	he comenzado
caes	has caído	coges	has cogido	comienzas	has comenzado
cae	ha caído	coge	ha cogido	comienza	ha comenzado
caemos	hemos caído	cogemos	hemos cogido	comenzamos	hemos comenzado
caéis	habéis caído	cogéis	habéis cogido	comenzáis	habéis comenzado
caen	han caído	cogen	han cogido	comienzan	han comenzado
conducir	Participio: **conducido**	**conocer**	Participio: **conocido**	**dar**	Participio: **dado**
conduzco	he conducido	conozco	he conocido	doy	he dado
conduces	has conducido	conoces	has conocido	das	has dado
conduce	ha conducido	conoce	ha conocido	da	ha dado
conducimos	hemos conducido	conocemos	hemos conocido	damos	hemos dado
conducís	habéis conducido	conocéis	habéis conocido	dais	habéis dado
conducen	han conducido	conocen	han conocido	dan	han dado

Verbos

PRESENTE	PRETÉRITO PERFECTO	PRESENTE	PRETÉRITO PERFECTO	PRESENTE	PRETÉRITO PERFECTO
decir	Participio: **dicho**	**dirigir**	Participio: **dirigido**	**distinguir**	Participio: **distinguido**
digo	he dicho	dirijo	he dirigido	distingo	he distinguido
dices	has dicho	diriges	has dirigido	distingues	has distinguido
dice	ha dicho	dirige	ha dirigido	distingue	ha distinguido
decimos	hemos dicho	dirigimos	hemos dirigido	distinguimos	hemos distinguido
decís	habéis dicho	dirigís	habéis dirigido	distinguís	habéis distinguido
dicen	han dicho	dirigen	han dirigido	distinguen	han distinguido
dormir	Participio: **dormido**	**enviar**	Participio: **enviado**	**estar**	Participio: **estado**
duermo	he dormido	envío	he enviado	estoy	he estado
duermes	has dormido	envías	has enviado	estás	has estado
duerme	ha dormido	envía	ha enviado	está	ha estado
dormimos	hemos dormido	enviamos	hemos enviado	estamos	hemos estado
dormís	habéis dormido	enviáis	habéis enviado	estáis	habéis estado
duermen	han dormido	envían	han enviado	están	han estado
haber	Participio: **habido**	**hacer**	Participio: **hecho**	**incluir**	Participio: **incluido**
he		hago	he hecho	incluyo	he incluido
has		haces	has hecho	incluyes	has incluido
ha / hay _(impersonal)_	ha habido	hace	ha hecho	incluye	ha incluido
hemos		hacemos	hemos hecho	incluimos	hemos incluido
habéis		hacéis	habéis hecho	incluís	habéis incluido
han		hacen	han hecho	incluyen	han incluido
ir	Participio: **ido**	**leer**	Participio: **leído**	**mover**	Participio: **movido**
voy	he ido	leo	he leído	muevo	he movido
vas	has ido	lees	has leído	mueves	has movido
va	ha ido	lee	ha leído	mueve	ha movido
vamos	hemos ido	leemos	hemos leído	movemos	hemos movido
vais	habéis ido	leéis	habéis leído	movéis	habéis movido
van	han ido	leen	han leído	mueven	han movido
oír	Participio: **oído**	**poder**	Participio: **podido**	**poner**	Participio: **puesto**
oigo	he oído	puedo	he podido	pongo	he puesto
oyes	has oído	puedes	has podido	pones	has puesto
oye	ha oído	puede	ha podido	pone	ha puesto
oímos	hemos oído	podemos	hemos podido	ponemos	hemos puesto
oís	habéis oído	podéis	habéis podido	ponéis	habéis puesto
oyen	han oído	pueden	han podido	ponen	han puesto
querer	Participio: **querido**	**reír**	Participio: **reído**	**reunir**	Participio: **reunido**
quiero	he querido	río	he reído	reúno	he reunido
quieres	has querido	ríes	has reído	reúnes	has reunido
quiere	ha querido	ríe	ha reído	reúne	ha reunido
queremos	hemos querido	reímos	hemos reído	reunimos	hemos reunido
queréis	habéis querido	reís	habéis reído	reunís	habéis reunido
quieren	han querido	ríen	han reído	reúnen	han reunido

PRESENTE	PRETÉRITO PERFECTO	PRESENTE	PRETÉRITO PERFECTO	PRESENTE	PRETÉRITO PERFECTO
saber	Participio: **sabido**	**salir**	Participio: **salido**	**ser**	Participio: **sido**
sé	he sabido	salgo	he salido	soy	he sido
sabes	has sabido	sales	has salido	eres	has sido
sabe	ha sabido	sale	ha salido	es	ha sido
sabemos	hemos sabido	salimos	hemos salido	somos	hemos sido
sabéis	habéis sabido	salís	habéis salido	sois	habéis sido
saben	han sabido	salen	han salido	son	han sido
servir	Participio: **servido**	**tener**	Participio: **tenido**	**traer**	Participio: **traído**
sirvo	he servido	tengo	he tenido	traigo	he traído
sirves	has servido	tienes	has tenido	traes	has traído
sirve	ha servido	tiene	ha tenido	trae	ha traído
servimos	hemos servido	tenemos	hemos tenido	traemos	hemos traído
servís	habéis servido	tenéis	habéis tenido	traéis	habéis traído
sirven	han servido	tienen	han tenido	traen	han traído
valer	Participio: **valido**	**vencer**	Participio: **vencido**	**venir**	Participio: **venido**
valgo	he valido	venzo	he vencido	vengo	he venido
vales	has valido	vences	has vencido	vienes	has venido
vale	ha valido	vence	ha vencido	viene	ha venido
valemos	hemos valido	vencemos	hemos vencido	venimos	hemos venido
valéis	habéis valido	vencéis	habéis vencido	venís	habéis venido
valen	han valido	vencen	han vencido	vienen	han venido
ver	Participio: **visto**				
veo	he visto				
ves	has visto				
ve	ha visto				
vemos	hemos visto				
veis	habéis visto				
ven	han visto				

PARTICIPIOS IRREGULARES

abrir	abierto	**freír**	frito / freído	**poner**	puesto
cubrir	cubierto	**hacer**	hecho	**romper**	roto
decir	dicho	**ir**	ido	**ver**	visto
escribir	escrito	**morir**	muerto	**volver**	vuelto
resolver	resuelto				

AUTORES/AS **Jaime Corpas, Eva García, Agustín Garmendia**

CREACIÓN DE PROPUESTAS EN INMERSIÓN **Alicia Cisneros**

REVISIÓN Y ASESORÍA GRAMATICAL **Marisa Santiago**

REVISIÓN Y ASESORÍA DE *MÁS EJERCICIOS* **Ana Aristu**

COORDINACIÓN PEDAGÓGICA **Neus Sans**

COORDINACIÓN EDITORIAL Y REDACCIÓN **Agnès Berja, Pablo Garrido, Núria Murillo**

DISEÑO **Laurianne López, dtm+tagstudy, Pablo Garrido**

MAQUETACIÓN **Laurianne López, dtm+tagstudy, Aleix Tormo**

CORRECCIÓN **Pablo Sánchez**

ASESORES/AS DE LA NUEVA EDICIÓN
Marina Alonso (Instituto Cervantes de Bucarest), Mariana Álvarez (Humboldt Universität, Berlín), Ana Aristu (Universitat Autònoma de Barcelona), Alicia Cisneros (Estudio Sampere, Madrid), Jesús Fernández Álvarez (Universität Erfurt), Almudena Hasan (Instituto Cervantes de Argel), Isabel Lamigueiro (University College London), Gemma Linares (Universität Tübingen), Asun Martínez (Study Abroad, España), Jorge Morales Mardones (Centro de lengua española y cultura Adelante, San Petersburgo), Myriam Suárez (Suárez Spaanse taal en cultuur), Cristina Vizcaíno (Instituto Cervantes de Milán), Antje Wollenweber (Ernst Klett Sprachen)

© Los autores y Difusión, S.L. Barcelona 2020
Reimpresión: abril 2022
ISBN: 978-84-18032-19-6
ISBN edición híbrida: 978-84-19236-17-3
Impreso en la UE

difusión
Centro de
Investigación y
Publicaciones
de Idiomas, S. L.

C/ Trafalgar, 10, entlo. 1ª
08010 Barcelona
Tel. (+34) 93 268 03 00
Fax (+34) 93 310 33 40
editorial@difusion.com

www.difusion.com

MIXTO
Papel | Apoyando la
silvicultura responsable
FSC™ C134275